O tolerancji
→

Michael Walzer
O tolerancji

Przełożył
Tadeusz Baszniak

➜ WYDAWNICTWO ALETHEIA
WARSZAWA 2013

Tytuł oryginału: *On Toleration*

© 1997 by Yale University
Originally published by Yale University Press
Copyright © for the Polish translation by Tadeusz Baszniak,
    Warszawa 2013
Copyright © for the Polish edition by Wydawnictwo Aletheia,
    Warszawa 2013

Wydawnictwo Aletheia
ul. Zgierska 6/8 m. 6
04-092 Warszawa
biuro@aletheia.com.pl
www.aletheia.com.pl
Facebook: Wydawnictwo Aletheia

Projekt okładki/serii Grzegorz Laszuk[K+S]

ISBN 978-83-62858-37-8

Dla następnego pokolenia,
Sarah i Johna,
Rebekki i Keitha,
oraz dla jeszcze następnego,
Josepha i Katyi

SPIS TREŚCI

Przedmowa

Jako amerykański Żyd wzrastałem w przekonaniu, że jestem przedmiotem tolerancji. Dopiero znacznie później uświadomiłem sobie, że jestem także jej podmiotem, aktywną jednostką ludzką powołaną do tego, by tolerować innych, w tym również innych Żydów, dla których idea żydowskości oznacza coś zasadniczo odmiennego niż dla mnie. Zacząłem zdawać sobie wówczas sprawę, że Stany Zjednoczone są krajem, w którym każdy musi tolerować każdego (objaśnię tę formułę później), a przeświadczenie to stało się punktem wyjścia niniejszego eseju. Skłoniło mnie do podjęcia systematycznej refleksji nad tym, pod jakimi względami inne kraje różnią się od Stanów Zjednoczonych – czasem w sposób, jakiego nie można tolerować. Cały świat nie jest Ameryką!

Tolerowanie i bycie tolerowanym przypomina trochę Arystotelesowskie rządzenie i bycie rządzonym: jest rezultatem zbiorowych działań obywateli demokratycznego państwa. Nie sądzę, by były to działania łatwe czy mało znaczące. Często nie

docenia się wartości tolerancji, jak gdyby była ona
najpośledniejszą z rzeczy, jakie możemy uczynić dla
naszych bliźnich, najskromniejszym z przysługują-
cych im praw. W rzeczywistości tolerowanie (postawa) przyjmuje wiele różnorodnych postaci, a tolerancja (praktyka) może być regulowana na wiele
sposobów. Nawet najbardziej ograniczone przejawy
tolerancji i najbardziej nietrwałe regulacje polityczne
są czymś bardzo pożądanym i na tyle rzadkim w dziejach ludzkości, że wymagają nie tylko praktycznej,
ale również teoretycznej waloryzacji. Podobnie jak
w przypadku innych rzeczy, które cenimy, musimy
postawić pytanie, co podtrzymuje tolerancję, jak
ona działa: taki jest podstawowy cel niniejszego eseju. W tym miejscu chciałbym tylko powiedzieć, co
sama tolerancja podtrzymuje. Otóż podtrzymuje ona
życie, albowiem prześladowania kończą się często
śmiercią; podtrzymuje również wspólne formy aktywności życiowej, rozmaite wspólnoty, w których
żyjemy. Tolerancja umożliwia odmienność, odmienność czyni tolerancję niezbędną.

Obrona tolerancji nie musi być obroną odmienności. Może być, i często jest, tylko argumentacją
odwołującą się do konieczności. Piszę to z głębo-
kim szacunkiem dla odmienności, choć nie darzę
nim każdego jej przejawu. W życiu społecznym,
politycznym i kulturalnym wolę wielość od jedności. Zdaję sobie jednocześnie sprawę, że każde rządy
tolerancji muszą być specyficzne i do pewnego stop-

nia zunifikowane, aby mogły zjednać sobie lojalność członków danej społeczności. Koegzystencja wymaga politycznie stabilnych i moralnie uprawnionych regulacji ustrojowych, co też jest przedmiotem oceny. Nie można wykluczyć, że istnieje jedna, najlepsza ze wszystkich regulacja, jednak skłonny jestem w to wątpić; we wprowadzeniu wysunę pewne kontrargumenty. Tak czy inaczej, ograniczę się tu do opisu niektórych możliwych form ustrojowych, a następnie do analizy i obrony tej formy ustrojowej, która wydaje się najlepsza dla nas tu i teraz – dla Amerykanów stojących u progu XXI wieku – tej, która najlepiej wyraża, a zarazem umacnia i potęguje naszą faktyczną wielość.

O TOLERANCJI

JAK PISAĆ O TOLERANCJI

W ostatnich latach argumenty filozoficzne przyjmowały bardzo często postać proceduralistyczną: filozof konstruuje obraz jakiegoś „położenia pierwotnego", sytuacji idealnego dyskursu czy rozmowy na statku kosmicznym. Każdą z tych sytuacji konstytuuje pewien zbiór ograniczeń czy też jakby reguł zaangażowania stron biorących w niej udział. Strony te reprezentują nas wszystkich. Prowadzą spory, zawierają układy i wymieniają poglądy w ramach przyjętych ograniczeń, które mają narzucać formalne kryteria wszelkiego rodzaju moralności: całkowitą bezstronność bądź jakiś jej funkcjonalny ekwiwalent. Zakładając, że te narzucenia są skuteczne, ustalenia, do których strony dochodzą, można zasadnie uważać za moralnie obowiązujące. Otrzymujemy w ten sposób zasady, które regulują tryb prowadzenia wszystkich rzeczywistych sporów, zawierania układów i wymiany poglądów – w istocie

wszelkie formy działalności politycznej, społecznej
i ekonomicznej w warunkach rzeczywistego świata. Naszym obowiązkiem jest możliwie najszersze
wprowadzenie tych zasad we własnym życiu i w życiu naszych społeczeństw[1].

W dalszej części książki obieram jednak inne podejście, które chciałbym objaśnić i usprawiedliwić
w tym krótkim wprowadzeniu. Nie będę tu przepro-
wadzał systematycznej argumentacji filozoficznej,
choć w niniejszym eseju przynajmniej dadzą o sobie znać wszystkie niezbędne jej ogniwa: czytelnik
znajdzie tu pewne ogólne dyrektywy i przesłanki
metodologiczne, które zostaną następnie obszernie
zilustrowane przykładami historycznymi, a także
analizy problemów praktycznych oraz próbne, nie-
pełne wnioski – gdyż tylko na to pozwala przyjęta
metoda badawcza. Przedmiotem moich rozważań
jest tolerancja lub, mówiąc ściślej, pokojowe współistnienie grup ludzi o odmiennej historii, kulturze
i tożsamości, które dzięki tolerancji staje się możliwe. Wychodzę od twierdzenia, że pokojowe współistnienie (pewnego określonego typu – nie będę mówił tutaj o współistnieniu panów i niewolników) jest
zawsze czymś pożądanym. Nie dlatego, że ludzie

---

[1] Krytyczne uwagi o tej metodzie badawczej przedstawiłem w pracy *A Critique of Philosophical Conversation*, w: Mi-
chael Kelly (red.), *Hermeneutics and Critical Theory in Ethics
and Politics* (MIT Press, Cambridge, MA 1990), s. 182–196.
Zob. Georgia Warnke, *Reply*, w tej samej książce (s. 197–203);
tekst zawiera częściową obronę teorii Jürgena Habermasa.

zawsze je cenią – oczywiste jest bowiem, że często tak się nie dzieje. O tym, że pokojowe współistnienie jest czymś pożądanym, świadczy fakt, że ludzie skłonni są zwykle mówić, iż je cenią: nie mogą usprawiedliwić swego postępowania ani we własnych oczach, ani w oczach innych, jeśli nie uznają wartości pokojowego współistnienia oraz sposobu życia i swobód, które ono zapewnia[2]. Jest to pewien fakt z zakresu ludzkiej moralności – przynajmniej w tym ograniczonym sensie, że ciężar dowodu spoczywa tu na tych, którzy te wartości odrzucają. Usprawiedliwienie potrzebne jest raczej sprawcom prześladowań religijnych, przymusowej asymilacji, ideologicznych wojen i „czystek etnicznych", którzy na ogół usprawiedliwiają się w ten sposób, że nie próbują bronić tego, co czynią, lecz zaprzeczają, by to czynili.

Pokojowe współistnienie może przyjmować jednak różne formy polityczne, które mają odmienne implikacje dla powszedniego życia moralnego – to znaczy dla realnych interakcji i wzajemnych uwikłań jednostek ludzkich. Żadna z tych form nie ma waloru powszechności. Poza minimalistycznymi deklaracjami o wartości pokoju i regułami powściąg-

---

[2] Thomas Scanlon wyjaśnia, dlaczego takie deklaracje mają pewne znaczenie, w pracy *Contractualism and Utilitarianism,* w: Amartya Sen i Bernard Williams (red.), *Utilitarianism and Beyond* (Cambridge University Press, Cambridge 1982), zwłaszcza s. 116.

liwości, jakie z nich wynikają (co, z grubsza biorąc,
odpowiada standardowej wykładni podstawowych
praw człowieka), nie ma żadnych zasad, które obo-
wiązywałyby we wszystkich formach rządów tolerancji czy wskazywały nam dyrektywy działania
we wszelkich okolicznościach, w każdym czasie
i miejscu, w imię jakiegoś konkretnego zbioru regulacji politycznych czy ustrojowych. Argumenty
proceduralistyczne nie okażą się tu pomocne właśnie dlatego, że nie odzwierciedlają różnic wiążących
się ze specyfiką czasu i miejsca; nie uwzględniają
we właściwy sposób konkretnych, przygodnych
okoliczności. Alternatywnym podejściem, którego
zamierzam tu bronić, jest historyczna, kontekstowa
koncepcja tolerancji i współistnienia – koncepcja,
która uwzględnia rozmaite formy, jakie przyjmowały one w historycznej rzeczywistości, i właściwe im
normy powszedniego życia. Powinniśmy przyjrzeć
się zarówno idealnym wersjom tych praktycznych
regulacji, jak i ich charakterystycznym, historycznie
udokumentowanym wypaczeniom. Musimy również
rozważyć, jak te regulacje postrzegają uczestnicy
życia społecznego – zarówno grupy, jak i jednostki,
zarówno beneficjenci, jak i pokrzywdzeni – a następnie osoby postronne, członkowie społeczności
rządzących się innymi regułami tolerancji.

    Czy nie jest to jednak czysto pozytywistyczna
albo, co gorsza, relatywistyczna metoda badawcza?
Skoro nie ma bowiem żadnego nadrzędnego punktu

widzenia ani miarodajnej instancji życia społecznego, w jaki sposób możemy otrzymać jakiekolwiek krytyczne standardy? Jak możemy klasyfikować i układać hierarchię różnych systemów rządów? Otóż nie zamierzam wcale tego robić i nie odczuwam z tego powodu niepokoju. Nie wydaje mi się bowiem wiarygodne, by typy ustrojów politycznych, które chcę rozważyć – np. wielonarodowe imperia albo państwa narodowe bądź historyczne przykłady tych ustrojów (Aleksandria Ptolemeuszów i Aleksandria rzymska, imperium osmańskie, Austro-Węgry Habsburgów, współczesne Włochy, Francja, Norwegia itd.) – dało się uszeregować we właściwym porządku, tak jakby można było przyporządkować każdemu z nich jakiś liczbowy wskaźnik wartości moralnej: siedem, dziewiętnaście czy trzydzieści jeden i pół.

Nie ulega wątpliwości, że możemy powiedzieć, iż regulacje polityczne, które łatwo mogą wyrodzić się w prześladowania i wojny domowe, są gorsze od gwarantujących większą stabilność. Nie można twierdzić jednak, że ustrój, który faworyzuje np. przetrwanie grup kosztem swobód jednostek, jest z zasady gorszy od faworyzującego te swobody kosztem przetrwania grup – grupy składają się bowiem z jednostek, a wiele z nich samorzutnie przedkładałoby, rzecz jasna, pierwszy rodzaj ustroju nad drugi. Nie możemy również twierdzić, że neutralność państwa i możliwość tworzenia dobrowolnych

stowarzyszeń, zgodne z modelem *Listu o tolerancji*
Johna Locke'a, to jedyny lub najlepszy sposób postępowania wobec pluralizmu religijnego i etnicznego. Jest to bardzo dobry sposób postępowania, do-
stosowany do doświadczeń wspólnot protestanckich
w pewnego rodzaju społeczeństwach, ale możliwość rozszerzenia go na inne doświadczenia i inne
typy społeczeństw należy dopiero uzasadnić, a nie
po prostu przyjąć za pewnik. Łatwo można potępić
radykalne ataki na wolność jednostki i prawo do stowarzyszania się, podobnie jak militarne i polityczne
(ale nie intelektualne) wyzwania wobec przetrwania
pewnej konkretnej grupy: są sprzeczne z minimalny-
mi wymogami pokojowego współistnienia. Ponadto
porównania różnych typów regulacji mogą być pomocne w moralnej i politycznej refleksji nad tym,
gdzie się obecnie znajdujemy i jakie alternatywne
rozwiązania są nam dostępne, ale nie mogą prowadzić do ostatecznych rozstrzygnięć.

Właśnie na tej użyteczności polega w istocie wartość bliższego, szczegółowego opisu różnych form
rządów tolerancji w ich idealnych i rzeczywistych
wersjach. Choć bowiem te systemy rządów stanowią całości polityczne czy kulturowe, a pomiędzy
ich zaletami i wadami zachodzi ścisły związek, to
nie są całościami organicznymi. Nie jest prawdą, że
gdyby któryś z tych wewnętrznych związków uległ
zerwaniu lub modyfikacji, to ustrój byłby skazany na
polityczną śmierć. Żadna reforma nie ma charakteru

gruntownej transformacji, a nawet gruntowne transformacje można przeprowadzać stopniowo, w dłuższym okresie. Elementami wszystkich takich procesów są niewątpliwie konflikty i trudności, ale nie dochodzi tu do radykalnego zerwania ciągłości ani do załamania się ustroju. Jeśli taki czy inny aspekt panującego *gdzie indziej* ustroju daje perspektywę użyteczności *tutaj* po odpowiednich modyfikacjach, to możemy podjąć starania o przeprowadzenie tego rodzaju reformy, dążąc do tego, co jest najlepsze dla nas, i biorąc pod uwagę to, jakiego rodzaju grupy cenimy i jakimi jednostkami ludzkimi jesteśmy.

Nie jest jednak możliwe zebranie wszystkich „najprzyjemniejszych" cech każdego z tych różnorodnych ustrojów i połączenie ich ze sobą – na gruncie założenia, że ze względu na swą atrakcyjność (zalety, jakie mają w naszych oczach) będą one w rzeczywistości do siebie pasować i stworzą efektywną, harmonijną całość. Przynajmniej niekiedy – a najprawdopodobniej dość często – rzeczy, które podziwiamy w pewnym konkretnym historycznym ustroju, są powiązane funkcjonalnie z rzeczami, które budzą nasze obawy lub awersję[3]. Wyobrażanie sobie, że możemy odtworzyć lub naśladować te pierwsze i uniknąć drugich, jest przykładem tego, co można by nazwać „złym utopizmem". Filozofia musi się opierać na rzetelnej wiedzy historycznej

---

[3] Stuart Hampshire, *Morality and Conflict* (Harvard University Press, Cambridge, MA 1983), s. 146–148.

i socjologicznej, jeżeli ma uniknąć złego utopizmu i jeśli ma dostrzegać trudne wybory, jakich często musimy dokonywać w życiu politycznym. Im są one trudniejsze, tym mniej prawdopodobne jest to, że filozoficzną aprobatę uzyska tylko jedno rozwiązanie. Być może powinniśmy wybierać pewne rozwiązania w danych okolicznościach, a inne – w innych, podążać jedną drogą obecnie, a inną – w jakiejś chwili późniejszej. Być może wszystkie nasze wybory powinny być tymczasowe i próbne, zawsze gotowe na rewizję, a nawet uchylenie.

Idea, że naszych wyborów nie determinuje jedna, uniwersalna zasada (albo zbiór wzajemnie powiązanych zasad) i że słuszny wybór w danych okolicznościach nie musi być równie słuszny w innych, jest, ściśle biorąc, ideą relatywistyczną. Nawet najlepszy ustrój polityczny zawsze zależy od historii i kultury ludzi, których życie reguluje. Wydaje mi się, że jest to spostrzeżenie oczywiste. Nie jestem jednak rzecznikiem nieograniczonego relatywizmu, ponieważ żadne regulacje ustrojowe ani żadne konkretne aspekty takich regulacji nie są opcjami dopuszczalnymi moralnie, jeśli nie gwarantują jakiejś formy pokojowego współistnienia (i jeśli nie stoją na straży podstawowych praw człowieka). Naszych wyborów dokonujemy zawsze w pewnych granicach i mam wrażenie, że istotne różnice zdań między filozofami nie dotyczą tego, czy te granice istnieją – nikt nie podaje na serio w wątpliwość ich istnienia – ale tego, jak daleko sięgają. Najlepszym sposobem oceny ich rozpiętości jest scharakteryzowanie pewnego spektrum możliwych opcji i wskazanie uzasadnienia wiarygodności i ograniczeń każdej z nich w konkretnym kontekście historycznym. Nie będę zajmował się tu szerzej regulacjami ustrojowymi, które możemy z góry wykluczyć – monolitycznymi reżimami politycznymi religijnej lub totalitarnej proweniencji. Wystarczy poprzestać na nazwaniu tych ustrojów i przypomnieniu czytelnikowi ich realiów historycznych. Na tle tych realiów pokojowe współistnienie jest niewątpliwie doniosłą, trwałą zasadą moralną.

Twierdząc, że różnym grupom i/lub jednostkom należy stworzyć możliwość pokojowego współistnienia, nie twierdzimy jednak, że należy tolerować wszelkie faktyczne lub możliwe do pomyślenia formy odmienności. Rozmaite regulacje ustrojowe, które mam zamiar scharakteryzować, tolerują w różnym stopniu praktyki uznawane przez większość członków tych społeczności za dziwne lub odrażające – a tym samym wykazują, rzecz jasna, rozmaity stopień tolerancji wobec mężczyzn i kobiet, którzy te praktyki uprawiają. Możemy zatem klasyfikować różne typy regulacji ustrojowych, różne formy rządów tolerancji jako mniej lub bardziej tolerancyjne, a nawet ustalić ich hierarchię (obwarowaną licznymi zastrzeżeniami historycznymi) porządkującą je według stopnia tolerancyjności. Ale kiedy przyjrzymy się bliżej niektórym z tych praktyk, od razu stanie się oczywiste, że nie jest to hierarchia moralna. Między tolerowaniem oczywistych problematycznych praktyk w rozmaitych ustrojach zachodzą dość złożone różnice; podobne komplikacje pojawią się zapewne w naszych ocenach tego zróżnicowania.

Zamierzam ukazać tę złożoność, opisując różne formy ustrojowe oraz problemy, z którymi muszą one się borykać, a następnie powrócić do niej raz jeszcze w refleksjach o współczesnej Ameryce, którymi zakończę niniejszy esej. Te formy współistnienia nie były nigdy przedmiotem tak szerokiej debaty jak obecnie, ponieważ bezpośrednia styczność z odmiennością, codzienne spotkania z innością nie były dotąd udziałem tak ogromnych rzesz ludzkich. Oglądając telewizję, czytając codzienną prasę, możemy odnieść wrażenie, że doświadczenia te przybierają w coraz większym stopniu podobne kształty we wszystkich zakątkach świata. Być może skłaniamy się coraz bardziej do reagowania w podobny sposób. Ale nawet bardzo podobne spotkania z konieczności zaczynają się różnić, kiedy stają się udziałem różnych grup ludzi i znajdują odzwierciedlenie w refleksji mężczyzn i kobiet o odmiennej historii i odmiennych oczekiwaniach. Doświadczenie jest nieuchronnie zapośredniczone przez jakąś kulturę i w moich rozważaniach zamierzam uwzględniać wpływ tego pośredniczącego czynnika. Wysunięta przeze mnie koncepcja pożądanego stanu rzeczy, najlepszego sposobu uregulowania pokojowej koegzystencji odnosi się więc tylko do mojego czasu i miejsca, do mojej amerykańskiej rzeczywistości. W ostatniej części eseju zabieram głos – w formie niezobowiązujących, roboczych sugestii – w debacie o „wielokulturowości"[4]. Sądzę jednak, że debata ta nie ma uniwersalnego czy ogólnohistorycznego znaczenia, a wypływające z niej wnioski mogą mieć w innych częściach świata najwyżej wartość heurystyczną. Każdy współczesny człowiek może nauczyć się czegoś z tego konkretnego sposobu podejścia do odmienności, jednak nie wyniesie z niego zbyt dużego pożytku, jeśli nie zna wielu innych sposobów podejścia do tej problematyki.

Uwaga ostatnia: tak jak każdy mam tylko ograniczoną wiedzę o innych sposobach podejścia do odmienności. Argumentacja, którą przedstawiam

---

[4] Warto chyba wymienić już na wstępie niektóre głosy w tej debacie, które były źródłem inspiracji dla mojej pracy: John Higham, *Strangers in the Land: Patterns of American Nativism: 1860–1925*, wyd. 2 (Rutgers University Press, New Brunswick, NJ 1988); Orlando Patterson, *Ethnic Chauvinism: The Reactionary Impulse* (Stein and Day, New York 1977); Stephen Steinberg, *The Ethnic Myth: Race, Ethnicity and Class in America* (Beacon, Boston 1981); Arthur M. Schlesinger jun., *The Disuniting of America* (Norton, New York 1992); David Hollinger, *Postethnic America* (Basic Books, New York 1995); Todd Gitlin, *The Twilight of Common Dreams* (Henry Holt, New York 1995) i Charles Taylor, *Multiculturalism and „the Politics of Recognition"* (Princeton University Press, Princeton, NJ 1994). Poglądy Taylora są bardzo zbliżone do moich, a jego obrona „głębokiej odmienności" w społeczeństwie kanadyjskim wywarła zasadniczy wpływ na moje analizy sytuacji społecznej w Stanach Zjednoczonych.

w tym eseju, opiera się głównie na przykładach za-
czerpniętych z dziejów Europy, Ameryki Północnej
i Bliskiego czy Środkowego Wschodu. Muszę zatem zdać się na cudze oceny, aby rozstrzygnąć, czy
i w jakim stopniu moja argumentacja odpowiada re-
aliom Ameryki Łacińskiej, Afryki i Azji.

Rozdział 1

POSTAWY OSOBISTE I REGULACJE POLITYCZNE

Zaczynaj zawsze negatywnie, zalecał mi ongiś jeden z moich dawnych nauczycieli. Wyjaśnij swoim czytelnikom, czego nie zamierzasz robić; rozproszysz w ten sposób ich obawy i sprawisz, że będą bardziej skłonni zaakceptować to, co wydaje się skromniejszym projektem. Zacznę więc swoją apologię tolerancji od wprowadzenia kilku negatywnych rozróżnień. Nie zamierzam koncentrować się tutaj na tolerowaniu ekscentrycznych czy nieprawomyślnych jednostek w społeczeństwie obywatelskim ani nawet w państwie. Prawa jednostki leżą zapewne u podstaw każdego typu tolerancji, ale interesują mnie przede wszystkim w tej mierze, w jakiej korzystamy z nich wspólnie z innymi (w ramach dobrowolnego stowarzyszania się, ekspresji kulturowej lub samorządu lokalnego), czy też o tyle, o ile rozmaite grupy domagają się ich w imieniu swoich członków. Ekscentryczna jednostka, odosobniona w swojej odmienności, jest stosunkowo łatwa do tolerowania, zaś społeczna awersja i opór wobec ekscentryczności, choć z pewnością nie budzą naszej sympatii, nie są szczególnie niebezpieczne. Gra toczy się jednak o znacznie wyższe stawki, gdy zajmujemy się grupami społecznymi o ekscentrycznych, nieprawomyślnych poglądach.

Nie zamierzam również koncentrować tu uwagi na tolerancji politycznej, która dotyczy takich grup, jak opozycyjne ruchy i partie polityczne. Grupy te rywalizują w walce o władzę polityczną i są nieodzownym składnikiem ustrojów demokratycznych, które w najzupełniej dosłownym sensie wymagają istnienia różnych przywódców (występujących z różnymi programami politycznymi), nawet jeśli nigdy nie udaje im się zwyciężyć w wyborach. Są równoprawnymi uczestnikami życia politycznego tak samo jak członkowie przeciwnej drużyny w meczu koszykówki, bez których gra w ogóle nie mogłaby się odbyć, i dlatego przysługuje im prawo wrzucania piłki do kosza i wygrania meczu, jeśli tylko zdołają. Problem pojawia się tylko w przypadku osób, które chciałyby zakłócić lub przerwać grę, składając zarazem deklaracje poszanowania praw graczy i przestrzegania reguł gry. Są to często problemy trudne, ale mają niewiele wspólnego z tolerancją wobec odmienności, integralnie zawartą w demokratycznych stosunkach politycznych; wiążą się raczej z tolerowaniem pewnych zakłóceń (albo ryzyka zakłóceń), z zagadnieniem całkiem odmiennej natury.

Brakiem tolerancji wobec odmienności nie jest też pozbawienie prawa udziału w demokratycznych wyborach partii, która ma antydemokratyczny program; jest to tylko przejaw roztropności. Zagadnienia tolerancji pojawiają się znacznie wcześniej, zanim jeszcze wchodzi w grę władza polityczna – kiedy tworzą się zręby religijnej wspólnoty lub ruchu ideologicznego, z której ta partia się wyłoni. W tym stadium jej członkowie żyją po prostu wśród nas, odróżniając się swymi nieliberalnymi czy antydemokratycznymi zapatrywaniami. Czy powinniśmy tolerować ich doktryny i praktyki, a jeśli powinniśmy (tak uważam), to jak daleko miałaby sięgać ta tolerancja?

Przedmiotem mojego zainteresowania jest tedy problem tolerancji, kiedy w grę wchodzi odmienność wiążąca się z religią, kulturą lub sposobem życia – gdy inni nie są uczestnikami naszej wspólnoty, gdy nie ma wspólnych reguł gry ani wewnętrznej potrzeby istnienia odmienności, którą ci inni kultywują i ucieleśniają. Nawet społeczeństwo liberalne nie wymaga wielości grup etnicznych czy wspólnot religijnych. Jego istnienie, a nawet jego rozkwit dają się w pełni pogodzić z kulturową jednorodnością. Wbrew temu ostatniemu twierdzeniu wysunięto ostatnio tezę, że liberalny ideał autonomii jednostki może urzeczywistnić się tylko w społeczeństwie

„wielokulturowym", gdzie obecność różnych kultur stwarza możliwość dokonywania znaczących
wyborów[1]. Autonomiczna jednostka może jednak
wybierać również między rozmaitymi zawodami
i zajęciami, między potencjalnymi przyjaciółmi
i małżonkami, między doktrynami politycznymi,
partiami i ruchami; między miejskim, podmiejskim
i wiejskim trybem życia, między formami kultury
wysokiej, mainstreamowej, niskiej i tak dalej. Wydaje się, że nie ma żadnych powodów, dla których
autonomia nie mogłaby znaleźć sobie dość miejsca
w jednej grupie kulturowej.

Tego rodzaju grupy nie wymagają także, w odróżnieniu od demokratycznych partii politycznych,
istnienia innych grup o podobnym charakterze. Tam,
gdzie pluralizm jest faktem społecznym, jak to bywa
najczęściej, niektóre z tych grup będą rywalizowały
z innymi, starając się pozyskać nowych wyznawców
czy zwolenników wśród niezaangażowanych albo
niezbyt głęboko zaangażowanych jednostek. Ich
podstawowym celem jest jednak podtrzymanie pewnego sposobu życia swoich członków, odtwarzanie
własnej kultury lub wiary w następnych generacjach.
Aktywność tych grup kieruje się przede wszystkim
do wewnątrz, co stanowi dokładne przeciwieństwo
działań partii politycznych. Jednocześnie wymagają
one poszerzonej przestrzeni społecznej (szerszej od

---

[1] Joseph Raz, *Multiculturalism: A Liberal Perspective*,
„Dissent" (zima 1994), s. 67–79.

domowego ogniska) z uwagi na konieczność zwoływania zgromadzeń, odbywania praktyk religijnych, dyskusji, uroczystości, świadczenia wzajemnej pomocy, kształcenia itd.

Co właściwie oznacza okazywanie tolerancji tego rodzaju grupom? Rozumiana jako postawa czy stan umysłu, tolerancja obejmuje wiele różnych możliwości. Pierwsza z nich, odzwierciedlająca początki tolerancji religijnej XVI i XVII wieku, jest po prostu postawą zrezygnowanej akceptacji odmienności w imię zachowania pokoju społecznego. Przez całe lata ludzie zabijali się wzajemnie, aż w końcu, na szczęście, przyszło wyczerpanie; właśnie ten stan określamy mianem tolerancji[2]. Możemy zrekonstruować jednak całe kontinuum głębszych form akceptacji odmienności. Drugą możliwą postawą jest bierna, łagodna, życzliwa obojętność wobec odmienności: „świat musi składać się z wszelkich odcieni". Postawa trzecia wynika z pewnej odmiany moralnego stoicyzmu: z pryncypialnego uznania, że „inni" mają takie same prawa, nawet jeśli korzystają z nich w sposób, który nie budzi naszej sympatii[3].

---

[2] Najlepszą ilustracją takiego wyczerpania i roztropnych kalkulacji politycznych, jakie ono umożliwia, są poglądy francuskich *politiques* z XVI wieku: krótkie omówienie można znaleźć w pracy Quentina Skinnera, *The Foundations of Modern Political Thought*, t. 2: *The Age of Reformation* (Cambridge University Press, Cambridge 1978), s. 249–254.

[3] Wielu filozofów ograniczy tolerancję tylko do tej postawy. Pogląd ten koresponduje z niektórymi sposobami użycia tego słowa i odzwierciedla pewnego rodzaju awersję, jaką

Czwarta postawa jest wyrazem otwartości wobec
innych, ciekawości, a nawet szacunku, gotowości
do słuchania i uczenia się. Najdalsze miejsce na tym
kontinuum postaw zajmuje entuzjastyczna aprobata
odmienności: aprobata estetyczna, jeżeli odmienność traktuje się jako kulturową formę wyrażającą
bogactwo i różnorodność Bożego stworzenia lub
świata przyrody, albo aprobata funkcjonalna, jeśli
odmienność uważana jest, jak w liberalnej argumentacji na rzecz wielokulturowości, za warunek ko-
nieczny ludzkiego rozwoju stwarzający poszczególnym ludzkim jednostkom możliwość dokonywania
wyborów nadających sens ich autonomii[4].

Ta ostatnia postawa chyba jednak nie mieści się
w zakresie moich rozważań: w jakim sensie można
bowiem powiedzieć, że toleruję coś, co w rzeczywistości aprobuję? Jeśli chcę, aby inni żyli tutaj, w tym
społeczeństwie, aby byli wśród nas, to nie toleruję
inności – ja ją popieram. Niekoniecznie muszę jednak popierać jakąś konkretną wersję inności. Może

---

w myśl potocznych poglądów mają jakoby wywoływać praktyczne przejawy tolerancji. Taka interpretacja nie uwzględnia
jednak w ogóle entuzjastycznej postawy wielu najdawniej-
szych obrońców tolerancji. Zob. David Heyd (red.), *Toleration: An Elusive Virtue* (Princeton University Press, Princeton,
NJ 1996), a zwłaszcza wprowadzenie Heyda i pierwszy esej
Bernarda Williamsa.

[4] Historyczną genezę każdej z tych postaw objaśnia Wil-
bur K. Jordan w czterotomowej pracy *The Development of
Religious Toleration in England* (Cambridge University Press,
Cambridge 1932–1940).

być tak, że preferuję jakąś odmienną wersję inności, tę, która kulturowo lub religijnie jest bliższa moim praktykom i przekonaniom (lub może tę, która jest od nich bardziej odległa, bardziej egzotyczna i która nie stwarza im konkurencji). W każdym społeczeństwie pluralistycznym będą istnieli ludzie, którym – niezależnie od tego, jak głęboko zakorzeniona jest ich akceptacja pluralizmu – bardzo trudno będzie się pogodzić z jakąś konkretną postacią odmienności: najczęściej dotyczy to formy kultu religijnego, modelu rodziny, zasad żywieniowych, praktyk seksualnych lub przepisowego stroju. Choć popierają samą ideę odmienności, to konkretne jej przykłady tylko tolerują. Ale nawet ludzi, którzy nie doświadczyli tego rodzaju trudności, możemy zasadnie nazywać tolerancyjnymi: pozostawiają bowiem miejsce dla mężczyzn i kobiet, których przekonań nie podzielają i których praktyk nie są skłonni naśladować; współżyją z innością, która, jakkolwiek bardzo aprobowaliby jej obecność w świecie, pozostaje czymś różnym od tego, co znają, czymś obcym i osobliwym. O wszystkich ludziach, którzy potrafią się na to zdobyć – bez względu na to, jaką pozycję zajmują na kontinuum rezygnacji, obojętności, stoickiej akceptacji, zaciekawienia i entuzjazmu – będę mówił, że posiedli cnotę tolerancji.

Jak się przekonamy, cechą wszystkich efektywnych rządów tolerancji jest to, że nie zależą one od konkretnej formy tej cnoty; nie wymagają, aby wszyscy członkowie społeczności zajmowali takie samo miejsce na naszym kontinuum. Niektóre rządy łatwiej zadowolą się rezygnacją, obojętnością lub stoicką akceptacją, podczas gdy inne będą dążyć do rozbudzenia zainteresowania bądź entuzjazmu, ale w gruncie rzeczy nie potrafię dostrzec w tej mierze żadnych systematycznych tendencji. Nawet różnice między rządami o bardziej kolektywistycznej i bardziej indywidualistycznej orientacji nie znajdują odzwierciedlenia w postawach, jakich wymagają. Czy jednak tolerancja nie jest trwalsza, gdy ludzie zajmują dalszą pozycję na kontinuum? Czy np. szkoły publiczne nie powinny podejmować starań, aby im w tym pomóc? W rzeczywistości każda z tych postaw, gdy jest mocno ugruntowana, będzie stabilizować tolerancję. Najlepszy program edukacyjny z powodzeniem może ograniczyć się do obrazowego opisu wojen religijnych i etnicznych. Nie ulega wątpliwości, że międzyludzkie relacje wskroś podziałów kulturowych uległyby poprawie, gdyby udało się przekroczyć minimalne wymogi tolerancji, do których spełnienia mają nakłaniać obrazy nietolerancji, ale reguła ta sprawdza się we wszystkich ustrojach politycznych; w żadnym z nich sukces polityczny nie zależy jednak od dobrych relacji międzyludzkich. Na koniec będę musiał postawić także pytanie, czy twierdzenia te zachowują ważność dla rodzącej się „ponowoczesnej” wersji tolerancji.

Na razie będę traktował wszystkie ustroje społeczne, za których pośrednictwem legalizujemy odmienność, współżyjemy z nią i oddajemy jej część przestrzeni społecznej, jako zinstytucjonalizowane formy pewnej niezróżnicowanej cnoty. Z historycznego punktu widzenia istniało (w świecie zachodnim) pięć ustrojów politycznych sprzyjających tolerancji, pięć modeli tolerancyjnego społeczeństwa. Nie twierdzę, że ta lista jest wyczerpująca, lecz tylko, że obejmuje najważniejsze i najbardziej interesujące możliwości. Mogą istnieć również, rzecz jasna, mieszane formy ustrojowe, ale najpierw chciałbym opisać pokrótce tych pięć ustrojów, łącząc opis historyczny z analizą w kategoriach typów idealnych. Następnie rozważę kilka przypadków mieszanych, przyjrzę się problemom, przed jakimi stoją te formy rządów, i na koniec powiem kilka słów o świecie społecznym i samowiedzy ludzkich jednostek, które dziś tolerują się wzajemnie (w tej mierze, w jakiej istotnie to czynią: tolerancja jest zdobyczą, którą łatwo zaprzepaścić). Co właściwie czynimy, gdy tolerujemy różnicę?

Rozdział 2

PIĘĆ FORM RZĄDÓW TOLERANCJI

Imperia wielonarodowe

Najstarszą formą systemów politycznych są wielkie imperia wielonarodowe – poczynając, z uwagi na cel naszych rozważań, od Persji, Egiptu Ptolemeuszów i Rzymu. Powstają różne grupy o statusie autonomicznych lub na wpół autonomicznych wspólnot, które mają zarówno polityczny czy prawny, jak i kulturowy czy religijny charakter i które rządzą się własnymi prawami w szerokim zakresie swych aktywności. Grupy te nie mają innego wyboru niż współegzystować z innymi grupami, ponieważ ich wzajemne kontakty znajdują się pod kontrolą urzędników imperium, zgodnie z imperialnym prawodawstwem, takim jak rzymskie *ius gentium*, które ma służyć zachowaniu pewnych minimalnych wymogów bezstronności stosownie do tego, jak rozumie się bezstronność w ośrodkach władzy imperialnej.

Na ogół urzędnicy ci nie ingerują w wewnętrzne życie autonomicznych wspólnot ani w imię bezstronności, ani czegokolwiek innego – dopóki uiszczają
one podatki i utrzymują pokój. Można zatem powiedzieć, że okazują tolerancję wobec odmiennych
sposobów życia, a rządy imperialne można nazwać
rządami tolerancji niezależnie od tego, czy członkowie różnych wspólnot są wobec siebie tolerancyjni.

Pod imperialnymi rządami członkowie tych
wspólnot będą, chcąc nie chcąc, przejawiali (na
ogół) tolerancję w swych codziennych kontaktach,
a część z nich nauczy się przypuszczalnie akceptować odmienność i zajmie określone miejsce na scha-
rakteryzowanym przeze mnie kontinuum. Przetrwanie rozmaitych wspólnot nie zależy jednak od tej
akceptacji. Zależy wyłącznie od oficjalnej tolerancji, utrzymywanej głównie dla zachowania pokoju
społecznego – jakkolwiek poszczególni urzędnicy
mogą kierować się różnymi motywacjami, a niektórzy z nich wsławili się swoim zainteresowaniem odmiennością, a nawet żarliwymi wystąpieniami w jej
obronie[1]. Tych imperialnych biurokratów oskarżano
niejednokrotnie o uprawianie polityki zgodnej z de-
wizą „dziel i rządź", i czasami istotnie prowadzili

---

[1] Najstarsze prace badawcze z dziedziny, która stała się
później akademicką dyscypliną antropologii, są dziełem imperialnych urzędników: przypomnijmy sobie na przykład karierę
i twórczość pisarską rzymskiego administratora prowincji Ta-
cyta, którą opisuje Moses Hadas w przedmowie do *The Com-
plete Works of Tacitus* (Modern Library, New York 1942).

oni taką politykę. Nie wolno jednak zapominać, że podziały, które wykorzystywali, nie były ich dziełem, a podlegający ich władzy mogli słusznie pragnąć, aby byli podzieleni i rządzeni, choćby tylko w imię pokoju społecznego.

Z historycznego punktu widzenia rządy imperialne są najskuteczniejszą drogą legalizowania różnicy i tworzenia („narzucanie" wydaje się tu bardziej adekwatnym określeniem) sprzyjających warunków do pokojowego współistnienia. Nie są jednak, a w każdym razie nigdy nie były, liberalną czy demokratyczną formą rządów. Niezależnie od charakteru rozmaitych „autonomii" władza, która nadaje im status prawny, jest władzą autokratyczną. Nie chciałbym idealizować tej autokracji; może ona stosować brutalne represje w celu utrzymania swych podbojów – o czym dowodnie świadczą dzieje Babilonii i Izraela, Rzymu i Kartaginy, Hiszpanii i Azteków czy Rosji i Tatarów. Jednak ugruntowana władza imperialna jest bardzo często tolerancyjna – tolerancyjna właśnie dlatego, że wszędzie przyjmuje formy autokratyczne (nie jest związana z interesami czy uprzedzeniami podbitych grup, zachowuje jednakowy dystans wobec każdej z nich). Rzymscy prokonsulowie w Egipcie i brytyjscy regenci w Indiach, pomimo wszystkich swych uprzedzeń i endemicznej korupcji charakteryzującej ich rządy, sprawowali przypuszczalnie władzę bardziej sprawiedliwie, niż czynili to prawdopodobnie lokalni władcy

i tyrani – a nawet bardziej sprawiedliwie, niż czynią
to współcześnie większości rządzące w lokalnych
społecznościach.

Autonomia imperialna przejawia tendencję do
zamykania jednostek w ich wspólnotach, a tym
samym do zamykania ich w odrębnej tożsamości
religijnej lub etnicznej. Toleruje grupy, a także ich
struktury władzy i zwyczajowe praktyki, nie okazuje natomiast tolerancji (wyjąwszy nieliczne kosmopolityczne metropolie i miasta stołeczne) oderwa-
nym jednostkom. Wspólnoty, które uzyskują status
prawny, nie stanowią dobrowolnych stowarzyszeń
ani, jak dowodzą ich dzieje, nie kultywują liberalnych wartości. Wprawdzie istnieje pewien przepływ
jednostek przekraczających ich granice (na przykład
konwertytów czy odstępców), jednak wspólnoty
te są przeważnie zamknięte i narzucają tę czy inną
wersję religijnej ortodoksji, dążąc do zachowania
tradycyjnego sposobu życia. Dopóki prawo chroni
je przed bardziej dotkliwymi formami prześladowań
i pozwala im kierować własnymi sprawami, charakteryzują się zdumiewającą trwałością. Mogą jednak
stosować surowe represje wobec jednostek dewia-
cyjnych, upatrując w nich zagrożenia dla swej spójności, a nawet dla swego przetrwania.

Samotni dysydenci i heretycy, kulturowi waga-
bundzi, mieszane małżeństwa i ich dzieci szukać
więc będą schronienia w stolicy imperium, która
w rezultacie może stać się miejscem względnie tole-

rancyjnym i liberalnym (jak Rzym, Bagdad i cesarski Wiedeń lub jeszcze lepiej Budapeszt)[2] – i jedynym miejscem, gdzie przestrzeń społeczna jest skrojona na miarę jednostki. Wszyscy inni, w tym rozmaite wolne duchy i potencjalni dysydenci, którzy nie mogą opuścić swych siedzib z powodu ekonomicznych ograniczeń lub obowiązków rodzinnych, będą żyli w jednorodnym sąsiedztwie czy rejonie, podlegając rygorom narzuconym przez wspólnotę. Jako zbiorowość są tam tolerowani, ale jako jednostki nie będą mile widziani, a nawet bezpieczni, jeśli przekroczą linię, jakakolwiek ona będzie, oddzielającą ich od innych. Mogą swobodnie obcować ze sobą tylko na neutralnym gruncie – na przykład na rynku albo w imperialnych sądach i więzieniach. Niemniej przez większość czasu grupy te żyją obok siebie w pokoju, respektując granice kulturowe i geograficzne.

Starożytna Aleksandria stanowi dogodny przykład tego, co można by rozpatrywać jako imperialną wersję wielokulturowości. Miasto to było zamieszkane mniej więcej w jednej trzeciej przez Greków,

---

[2] W rzeczywistości imperialny kosmopolityzm przenikał także do znacznie mniejszych miast, lokalnych ośrodków takich jak Rusçuk (Ruse), naddunajskie miasto portowe, w którym dorastał Elias Canetti. Pod rządami osmańskimi Rusçuk stało się miastem wielokulturowym, zamieszkanym przez Bułgarów, Żydów, Greków, Albańczyków, Ormian i Cyganów. Zob. Elias Canetti, *Ocalony język*, przeł. Maria Przybyłowska (Czytelnik, Warszawa 1986).

Żydów i Egipcjan, i wydaje się, że za rządów Ptolemeuszów koegzystencja tych trzech wspólnot miała zdecydowanie pokojowy charakter[3]. W okresie
późniejszym urzędnicy rzymscy faworyzowali sporadycznie swych greckich poddanych, przypuszczalnie ze względu na pokrewieństwo kulturowe bądź
z uwagi na lepiej rozwiniętą organizację polityczną
tej wspólnoty (tylko Grecy mieli formalny status
obywateli), i to rozluźnienie rygorów imperialnej
neutralności stało się przyczyną krwawych konfliktów w mieście. Ruchy mesjanistyczne, które naro-
dziły się w społeczności aleksandryjskich Żydów,
częściowo w reakcji na wrogą postawę Rzymian, do-
prowadziły do smutnego końca wielokulturowej koegzystencji. Ale stulecia pokojowego współistnienia
wskazują, że rządy imperialne kryją w sobie również
lepsze możliwości. Jest rzeczą interesującą, że chociaż te wspólnoty zachowywały prawną i społeczną
odrębność, istniała między nimi znacząca wymiana
handlowa i intelektualna – stąd właśnie wywodzi się
hellenistyczna wersja judaizmu, którą, pod wpływem
greckich filozofów, stworzyli pisarze aleksandryjscy,
tacy jak Filon. Trudno wyobrazić sobie takie osiąg-
nięcie w innych warunkach niż te imperialne.

---

[3] Opieram się tu głównie na czterotomowej pracy P.M. Fra-
sera *Ptolemaic Alexandria* (Oxford University Press, Oxford
1972), zwłaszcza na rozdziale 2 tomu pierwszego, oraz na
książce Victora Tcherikovera, *Hellenistic Civilization and the
Jews* (Atheneum, New York 1979), zwłaszcza na rozdziale 2
części drugiej.

System milletów państwa osmańskiego ukazuje inną wersję imperialnych rządów tolerancji, która uzyskała daleko bardziej rozwiniętą i trwałą postać[4]. W tym wypadku samorządne wspólnoty miały czysto religijny charakter, a ponieważ Turcy osmańscy byli muzułmanami, nie zachowywali neutralnej postawy wobec innych religii. Religią państwową imperium osmańskiego był islam, ale trzy inne wspólnoty religijne – wyznawcy Greckiego Kościoła prawosławnego, Apostolskiego Kościoła ormiańskiego i judaizmu – uzyskały prawo tworzenia autonomicznych organizacji. Te trzy wspólnoty, niezależnie od ich względnej liczebności, miały równe prawa. W stosunkach z muzułmanami podlegały takim samym restrykcjom – na przykład w zakresie ubioru, prozelityzmu i małżeństw mieszanych – i przysługiwały im identyczne uprawnienia do sprawowania jurysdykcji nad swoimi członkami. Millety (słowo to oznacza wspólnotę religijną) mniejszości podzielone były z kolei wedle kryteriów etnicznych, językowych oraz regionalnych i niektóre różnice praktyk religijnych były tym samym prawnie

---

[4] Zarys dziejów systemu milletów można znaleźć w książce Benjamina Braude'a i Bernarda Lewisa (red.) *Christians and Jews in the Ottoman Empire: The Functioning of a Plural Society*, t. 1: *The Central Lands* (Holmes and Meier, New York 1982), Will Kymlicka zaś w pracy *Two Models of Pluralism and Tolerance*, w: *Toleration: An Elusive Virtue*, s. 81–105, przedstawia teoretyczny opis tego systemu jako „cenną przestrogę, że prawa jednostki nie są jedynym sposobem, w jaki państwo może przystosowywać się do pluralizmu religijnego".

sankcjonowane w systemie. Członkowie tych wspólnot nie mieli wszakże prawa do wolności przekonań i stowarzyszania się wbrew zasadom własnej wspólnoty (a każdy musiał należeć do jakiejś wspólnoty). Na obrzeżach systemu dopuszczalna była jednak większa doza tolerancji; na przykład w XVI wieku członkom sekty karaimów, która wyodrębniła się z judaizmu, przyznano niezależność fiskalną, chociaż nie uzyskali oni statusu pełnoprawnego milletu. Zasadniczo imperium wychodziło zatem naprzeciw potrzebom grup, ale nie jednostek – o ile same grupy nie opowiadały się za liberalizmem (jak czynił to najwyraźniej protestancki millet, który powstał w późnym okresie dziejów imperium osmańskiego).

Obecnie wszystko to należy już do przeszłości (Związek Radziecki był ostatnim z imperiów): autonomiczne instytucje, starannie przestrzegane granice, etnicznie zróżnicowane dowody tożsamości, kosmopolityczne stolice, rozbudowany aparat biurokratyczny. Ostatecznie autonomia nie miała zbyt wielkiego znaczenia (co było przypuszczalnie jedną z przyczyn upadku imperiów); jej zakres został poważnie okrojony pod wpływem nowoczesnych idei suwerenności i totalistycznych ideologii, nieprzychylnych oswajaniu różnicy. Jednak różnice etniczne i religijne przetrwały i wszędzie tam, gdzie pokrywały się z podziałami terytorialnymi, miejscowe organy przedstawicielskie, które były mniej lub bardziej reprezentatywne, zachowały pewne szczątkowe funkcje i symboliczną władzę. Kiedy zaś zaczęły upadać imperia, organy te zdołały szybko przekształcić się w pewnego rodzaju aparat państwowy czerpiący siłę z nacjonalistycznej ideologii i dążący do suwerennej władzy – przeciw któremu dość często występowały silnie zakorzenione lokalne mniejszości, wielcy beneficjenci imperialnego ładu i jego ostatni oraz najbardziej zagorzali obrońcy. Z suwerennością łączy się oczywiście członkostwo w społeczności międzynarodowej, która jest najbardziej tolerancyjną formą ludzkiej społeczności, jakkolwiek aż do niedawna niełatwo się było do niej dostać. W niniejszym eseju społeczność międzynarodową omówię tylko pokrótce, na marginesie, ale ważne jest uświadomienie sobie, że grupy zamieszkujące zwarte terytoria w większości wolałyby korzystać z przywilejów tolerancji jako państwa narodowe (lub wyznaniowe) mające własne rządy, siły zbrojne i granice – koegzystując z innymi państwami narodowymi w poszanowaniu wzajemnej odrębności, a przynajmniej pod rządami wspólnego zbioru praw (choćby nawet rzadko egzekwowanych).

Społeczność międzynarodowa

Społeczność międzynarodowa stanowi tu pewnego rodzaju anomalię, ponieważ, rzecz jasna, nie stanowi państwa. Niektórzy skłonni są twierdzić, że nie jest to w ogóle system rządów, ale raczej stan anarchii czy bezprawia. Gdyby było to prawdą, stan ów byłby stanem absolutnej tolerancji: wszystko wolno, nic nie jest zabronione, ponieważ nikt nie jest upoważniony do tego, by czegokolwiek zabraniać (lub cokolwiek dozwalać), nawet jeśli wielu członków tej społeczności chętnie podjęłoby się takiej roli. W rzeczywistości społeczność międzynarodowa nie jest anarchiczna; jest to bardzo słaba forma rządów, ale tolerancyjna mimo braku tolerancji niektórych państw wchodzących w jej skład. Wszystkie grupy, które uzyskały własną państwowość, i wszystkie dozwolone przez nie praktyki (z ograniczeniami, które za chwilę omówię) społeczność państw toleruje. Tolerancja stanowi istotny aspekt suwerenności i ważny powód tego, że suwerenność jest stanem pożądanym.

Suwerenność gwarantuje, że nikt po *tamtej* stronie granicy nie będzie ingerować w to, co dzieje się po *tej* stronie. Ludzie po tamtej stronie mogą zajmować postawę rezygnacji, obojętności, stoickiej akceptacji, zaciekawienia lub entuzjazmu wobec praktyk stosowanych po tej i tym samym nie będą skłonni do ingerencji. Może być również tak, że akceptują oni obustronną logikę suwerenności: nie mieszamy się do waszych spraw, jeśli wy nie mieszacie się do naszych. „Żyj i pozwól żyć innym" to stosunkowo łatwa dewiza, jeśli żyje się po dwóch stronach wyraźnie wytyczonej granicy. Mogą też aktywnie manifestować swoją wrogość, gorliwie negując kulturę i obyczaje sąsiadów, ale nie są gotowi ponosić kosztów ingerencji. Biorąc pod uwagę naturę społeczności międzynarodowej, koszty te mogą okazać się wysokie: obejmują mobilizację armii, przekroczenie granicy, zabijanie i ponoszenie ofiar w ludziach.

Dyplomaci i mężowie stanu zajmują najczęściej drugą z tych postaw. Akceptują logikę suwerenności, ale nie mogą odwracać po prostu wzroku od osób i praktyk, których w ich ocenie nie można tolerować. Muszą prowadzić negocjacje z tyranami i mordercami, a także, co ma bliższy związek z tematem naszych rozważań, czynić ustępstwa wobec interesów krajów, w których dominująca kultura lub religia usprawiedliwia np. okrucieństwo, ucisk, mizoginię, rasizm, niewolnictwo czy tortury. Kiedy dyplomaci wymieniają uściski dłoni z tyranami albo łamią się z nimi chlebem, to czynią to niejako w rękawiczkach; działania te nie mają żadnego znaczenia moralnego. Ale układy, które z nimi zawierają, mają już rzeczywiste moralne znaczenie: są aktami tolerancji. W imię zachowania pokoju albo w przeświadczeniu, że kulturowe lub religijne reformy wymagają przeprowadzenia od wewnątrz, muszą stanowić dzieło miejscowych sił, dyplomaci uznają dany kraj za suwerennego członka społeczności międzynarodowej. Uznają jego niezależność polityczną i integralność terytorialną, które wespół konstytuują znacznie mocniejszą wersję wspólnotowej autonomii od tej, jaka istniała w wielonarodowych imperiach.

Dyplomatyczne układy i procedury dają nam pewne wyobrażenie o tym, co można by nazwać etykietą tolerancji. Ta etykieta odgrywa również pewną rolę, choć jest mniej widoczna, w wewnętrznym życiu kraju, gdzie nader często koegzystujemy z grupami, z którymi nie utrzymujemy ani nie chcemy utrzymywać bliższych więzi społecznych. Nad kształtem tej koegzystencji czuwają urzędnicy państwowi, którzy pełnią funkcję dyplomatów w wewnętrznym życiu politycznym kraju. Urzędnicy państwowi mają oczywiście większą władzę niż dyplomaci, toteż koegzystencja, którą powierzono ich pieczy, podlega znacznie surowszym rygorom niż koegzystencja suwerennych państw w społeczności międzynarodowej.

Suwerenność państwa ma jednak również granice, najjaśniej sformułowane w prawnej doktrynie interwencji humanitarnej. Działania lub praktyki „wstrząsające sumieniem ludzkości" z zasady nie są tolerowane[5]. Biorąc pod uwagę słabość rządów społeczności międzynarodowej, oznacza to w praktyce, że każde państwo, które jest członkiem tej społeczności, ma prawo użyć siły, by położyć kres temu,

---

[5] Kwestia umiejscowienia granic suwerenności została poruszona w mojej dyskusji z Davidem Lubanem, w: Charles Beitz, Marshall Cohen, Thomas Scanlon i A. John Simmons (red.), *International Ethics* (Princeton University Press, Princeton, NJ 1985), s. 165–243.

co dzieje się w innym państwie, jeśli dzieją się tam rzeczy wystarczająco straszne. Zasady politycznej niezależności i integralności terytorialnej nie chronią barbarzyństwa. Nikt nie jest jednak zobligowany do użycia siły; społeczność międzynarodowa nie dysponuje egzekutywą, której funkcją byłoby powstrzymywanie niedopuszczalnych praktyk. Nawet w obliczu oczywistych przypadków brutalnych represji na szeroką skalę interwencja humanitarna pozostaje całkowicie dobrowolnym działaniem. Praktyki Czerwonych Khmerów w Kambodży, by odwołać się do łatwego przykładu, były niedopuszczalne z punktu widzenia moralności i prawa, a ponieważ Wietnamczycy postanowili dokonać inwazji na ten kraj i położyć kres tym praktykom, nie były one faktycznie tolerowane. Ale taka szczęśliwa zbieżność rzeczy niedopuszczalnej z nietolerowaną należy do rzadkości. Humanitarna nietolerancja nie jest zwykle wystarczającym powodem, który mógłby przeważyć nad ryzykiem, jakie pociąga za sobą interwencja, zaś dodatkowe powody do interwencji – natury geopolitycznej, ekonomicznej czy ideologicznej – nie zawsze się znajdują.

Można by wyobrazić sobie dokładniej sprecyzowane granice tolerancji wiążącej się z suwerennością: niedopuszczalne praktyki w suwerennych państwach mogłyby stanowić okoliczność usprawiedliwiającą wprowadzenie ekonomicznych sankcji przez niektórych lub przez wszystkich członków społeczności międzynarodowej. Nałożenie częściowego embarga na Republikę Południowej Afryki z powodu praktyk apartheidu jest tu użytecznym, choć rzadkim przykładem. Powszechne potępienie, zerwanie wymiany kulturalnej i aktywna propaganda również mogą służyć okazywaniu nietolerancji wobec łamania zasad humanitarnych, choć tego rodzaju sankcje rzadko okazują się skuteczne[6]. Możemy zatem powiedzieć, że społeczność międzynarodowa jest z zasady tolerancyjna, a ponadto że ze względu na słabość tej formy rządów jest toleracyjna ponad swe zasady.

Państwa związkowe

Zanim przystąpię do rozważania państwa narodowego jako jednej z możliwych form tolerancyjnego społeczeństwa, chciałbym omówić pokrótce państwo bardziej podobne moralnie do wielonarodowego imperium, choć z politycznego punktu widzenia mniej prawdopodobnego spadkobiercę – państwo związkowe lub dwu-, trójnarodowe[7]. Przykłady: Belgia, Szwajcaria, Cypr, Liban czy nieudana od po-

---

[6] Te przykłady nietolerancji bez zbrojnej interwencji podsunął mi John Rawls.

[7] Zob. Arend Lijphart, *Democracy in Plural Societies: A Comparative Exploration* (Yale University Press, New Haven 1977).

cząstku Bośnia, pokazują zarówno szerokie spektrum możliwości, jak i zarodki katastrofy. Idea państwa związkowego jest programem heroicznym, albowiem zmierza do utrzymania imperialnej koegzystencji bez imperialnych urzędników i bez dystansu, który sprawiał, że ich rządy były w mniejszym lub większym stopniu bezstronne. Różnorodne grupy nie są już tolerowane przez jedną, zewnętrzną władzę; muszą teraz tolerować się nawzajem i wspólnie wypracowywać reguły swojej koegzystencji.

Idea wydaje się atrakcyjna: prosta, bezpośrednia ugoda dwóch lub trzech wspólnot (w praktyce ugoda ich przywódców lub elit) będąca przedmiotem swobodnych negocjacji między zainteresowanymi stronami. Uzgadniają one pewne regulacje ustrojowe, projektują instytucje, dzielą urzędy państwowe i zawierają polityczny układ chroniący ich rozbieżne interesy. Państwo związkowe nie jest jednak całkowicie dowolną konstrukcją. Na ogół wspólnoty zawierające układ przed podjęciem formalnych negocjacji żyły bardzo długo razem (a mówiąc ściślej, obok siebie). Może jednoczącym je początkowo spoiwem była władza imperialna, a może zbliżyły się do siebie w walce z nią. Ale wszystkie te związki poprzedza bezpośrednie sąsiedztwo: koegzystencja, nawet jeśli nie w tych samych wioskach, to wzdłuż granicy tylko z grubsza wytyczonej i łatwo przekraczanej. Członkowie tych grup rozmawiali ze sobą i handlowali, walczyli i godzili się na najbardziej lokalnych szczeblach – ale nigdy nie spuszczali z oczu policji i wojska jakiegoś obcego władcy. Teraz muszą zważać tylko na siebie nawzajem. Nie jest to niemożliwe. Sukces jest najbardziej prawdopodobny, gdy powstanie państwa związkowego jest poprzedzone pojawieniem się silnych ruchów nacjonalistycznych i ideologiczną mobilizacją różnych wspólnot. Najlepsze wyniki przynoszą negocjacje elit dawnych „autonomii", które często autentycznie szanują się wzajemnie, mają wspólny interes w pokoju i stabilności (oraz oczywiście w kontynuacji autorytetu elit), a także są gotowe podzielić się władzą polityczną. Ale umowy zawarte przez elity, które odzwierciedlają liczebność i ekonomiczną siłę łączących się wspólnot, zależą później od stabilności ich społecznej bazy. Państwo związkowe jest z góry skazane na konstytucyjnie ograniczoną dominację jednej ze stron albo ich względną równość. Dzieli się urzędy, ustala proporcjonalne udziały w służbie państwowej, przydziela publiczne fundusze – wszystko na podłożu tej ograniczonej dominacji lub względnej równości. Na gruncie tych porozumień każda z grup żyje stosunkowo bezpiecznie, zgodnie ze swymi zwyczajami, a może nawet w zgodzie z własnym prawem zwyczajowym; może również posługiwać się swoim językiem nie tylko w domach, ale również w swojej przestrzeni publicznej. Dawne życie pozostaje nienaruszone.

To właśnie lęk przed jego naruszeniem prowadzi do rozpadu państwa związkowego. Zmiany natury społecznej lub demograficznej zmieniają, powiedzmy: przemieszczają, bazę, modyfikują równowagę liczebności i siły, zagrażają ustalonym wzorcom dominacji lub równości, podważają dawne porozumienia. Jedna ze stron zaczyna się nagle wydawać zagrożeniem dla pozostałych. Wzajemna tolerancja opiera się na ufności, nie tyle w dobrą wolę innych ludzi, ile raczej w instytucjonalne regulacje chroniące przed skutkami złej woli. Teraz utrwalone regulacje zaczynają walić się w gruzy, a stan niepewności, który to rodzi, uniemożliwia tolerancję. Nie mogę żyć tolerancyjnie obok innego, który mi zagraża. A czego się obawiam? Tego, że państwo związkowe przekształci się w zwykłe państwo narodowe, w którym stanę się członkiem mniejszości liczącym na to, że będę tolerowany przez dawnych partnerów, którzy nie potrzebują już mojej tolerancji.

Liban jest oczywistym przykładem smutnego końca porozumień regulujących zasady państwa związkowego; stanowił wzorzec opisu, który powyżej przedstawiłem. W przypadku Libanu istotną rolę odegrały jednak nie tylko przemiany społeczne. Zasadniczo nowa sytuacja demograficzna i ekonomiczna w Libanie powinna była doprowadzić do renegocjacji dawnych uzgodnień, do nowego podziału urzędów państwowych i funduszy publicznych. Jednak przeobrażenia ideologiczne, które towarzyszyły

przemianom społecznym, bardzo utrudniły osiąg-
nięcie nowych porozumień. Fanatyzm nacjonalistyczny i religijny oraz nieuchronnie mu towarzyszą-
ce nieufność i strach obróciły renegocjacje w wojnę
domową (i spowodowały ingerencję Syryjczyków
w roli imperialnych rozjemców). W takich warunkach państwo związkowe zdradza wyraźne zna-
miona preideologicznej formy rządów. Tolerancja
nie jest wykluczona, gdy na scenie są nacjonalizm
i religia, a państwo związkowe może być nadal jej
najbardziej moralnie pożądaną postacią. Jednak
w praktyce bardziej prawdopodobną formą rządów
tolerancji jest obecnie państwo narodowe: jedna
grupa, dominująca na całym obszarze kraju, która
nadaje kształt życiu publicznemu i toleruje mniejszości narodowe oraz religijne – zamiast dwóch lub
trzech grup żyjących bezpiecznie na swojej ziemi
i we wzajemnej tolerancji.

Państwa narodowe

Większość państw wchodzących w skład społeczności międzynarodowej to państwa narodowe. Określenie to nie oznacza jednak, że ludność tych państw
jest narodowościowo (lub etnicznie czy religijnie)
jednorodna. W świecie współczesnym jednorodność
jest rzadkim albo zgoła nieobecnym zjawiskiem.
Oznacza tylko, że jedna, dominująca grupa organi-

zuje życie publiczne w sposób odzwierciedlający jej historię i kulturę, i jeśli wszystko układa się pomyślnie, zapisuje następne karty swojej historii i podtrzymuje swą kulturę. To właśnie takie cele przesądzają o kształcie edukacji publicznej, decydują o symbolach i rytuałach życia publicznego, określają państwowy kalendarz i wyznaczone dni świąteczne. Państwo narodowe nie zachowuje neutralności wobec różnych historii i kultur; jego aparat polityczny jest maszyną służącą reprodukcji narodowej. Grupy narodowościowe dążą do uzyskania państwowości właśnie po to, aby objąć kontrolę nad tymi środkami reprodukcji. Ich członkowie mogą oczekiwać czegoś więcej – mogą żywić ambicje obejmujące całe spektrum: od ekspansji i dominacji politycznej po wzrost gospodarczy i wewnętrzny rozkwit kraju. Ale tym, co uzasadnia ich działania, jest żarliwe ludzkie pragnienie przetrwania.

Państwo tworzone przez członków takiej grupy może jednak, jak czynią to na ogół liberalne i demokratyczne państwa narodowe, tolerować mniejszości. Tolerancja ta przyjmuje rozmaite formy, choć rzadko osiąga pułap pełnej autonomii występującej w dawnych imperiach. Szczególnie trudno wprowadzić autonomię regionalną, ponieważ mieszkający w takim regionie członkowie nacji dominującej podlegaliby wówczas „obcym" rządom we własnym kraju. Rzadko występują również rozwiązania typu korporacyjnego; samo bowiem państwo narodowe jest czymś w rodzaju kulturowej korporacji i rości sobie pretensje do wyłączności we wprowadzaniu takich regulacji na swym terytorium.

Tolerancja w państwach narodowych nie koncentruje się zwykle na grupach, ale na ich jednostkowych członkach, którzy najczęściej są traktowani szablonowo, przede wszystkim jako obywatele, a następnie jako członkowie tej czy innej mniejszości. Jako obywatele mają takie same prawa i obowiązki jak wszyscy inni; oczekuje się od nich także aktywnego zaangażowania w polityczną kulturę większości. Jako członkowie mniejszości mają cechy charakterystyczne dla swego „rodu" i prawo do zakładania dobrowolnych stowarzyszeń, organizacji wzajemnej pomocy, szkół prywatnych, towarzystw kulturalnych, wydawnictw itd. Nie mogą jednak organizować się w autonomiczne wspólnoty ani sprawować jurysdykcji nad członkami swoich grup mniejszościowych. Religia, kultura i historia mniejszości są domeną tego, co można by nazwać zbiorowością prywatną, do której zbiorowość publiczna, państwo narodowe, odnosi się zawsze nieufnie. Wszelkie próby publicznego eksponowania kultury mniejszości mogą łatwo wzbudzić niepokój większości (stąd spory we Francji o noszenie muzułmańskich nakryć głowy w szkołach państwowych). Zasadniczo nie ma przymusu wobec jednostek, lecz presja na adaptację do zwyczajów dominującego narodu przynajmniej w sferze praktyk publicznych była dość powszechna i do niedawna dość skuteczna. Kiedy dziewiętnastowieczni niemieccy Żydzi mówili o sobie, że są „Niemcami na ulicy, a Żydami w domu", to dawali wyraz pragnieniu, by państwo narodowe opierało się na zasadzie, która czyniłaby prywatność warunkiem tolerancji[8].

Polityka językowa należy do najważniejszych obszarów, na których się tę zasadę zarówno forsuje, jak i odrzuca. Dla wielu narodów język stanowi zasadniczy aspekt ich jedności. Tworzyły się one po części w wyniku procesu powstawania jednolitego języka, kiedy to dialekty regionalne musiały ustępować miejsca dialektowi centralnych ośrodków – chociaż niektóre z nich zdołały przetrwać, stając się tym samym zarzewiem subnarodowego lub protonarodowego oporu. Dziedzictwem tych historycznych procesów jest głęboka niechęć do tolerowania innych języków w roli szerszej niż komunikacja w kręgu rodzinnym i obrzędy religijne. Nacja większościowa domaga się więc zwykle, by mniejszości uczyły się jej języka i posługiwały się nim we wszystkich swoich sprawach publicznych – gdy głosują w wyborach, udają się do sądu, rejestrują umowę itd.

---

[8] O niemieckich Żydach, swoistej prototypowej mniejszości, zob. H.I. Bach, *The German Jew: A Synthesis of Judaism and Western Civilization, 1730–1930* (Oxford University Press, Oxford 1984) i Donald L. Niewyk, *The Jews in Weimar Germany* (Louisiana State University Press, Baton Rouge 1980).

Mniejszości odpowiednio silne, a zwłaszcza zamieszkujące zwarte obszary będą dążyły do prawnego usankcjonowania swych języków w szkołach państwowych, dokumentach prawnych i oznakowaniach miejsc publicznych. Czasami któryś z języków mniejszości uzyskuje faktycznie status drugiego języka urzędowego; najczęściej jednak utrzymuje się tylko w domach, świątyniach i szkołach prywatnych (albo powoli i boleśnie zanika). Jednocześnie nacja dominująca staje się świadkiem przeobrażeń, jakim jej język ulega pod wpływem językowych praktyk mniejszości. Akademiccy lingwiści usiłują za wszelką cenę zachować „czystą" wersję języka narodowego, a raczej to, co za taką wersję uważają, ale ich rodacy wykazują często zdumiewającą gotowość do przyjmowania obcych lub mniejszościowych zwyczajów językowych. To także, jak sądzę, stanowi pewien probierz tolerancji.

Państwa narodowe, nawet jeśli opierają się na liberalnych zasadach, pozostawiają mniej miejsca dla różnicy niż wielonarodowe imperia i państwa związkowe – i, oczywiście, znacznie mniej miejsca niż społeczność międzynarodowa. Ponieważ członkowie mniejszości, którzy korzystają z tolerancji, to zarazem obywatele z prawami i obowiązkami, więc praktyki grup mniejszościowych stają się znacznie częściej niż w wielonarodowych imperiach przedmiotem nadzoru większości. Wewnątrzgrupowe formy dyskryminacji i dominacji, przez długi czas akceptowane – a w każdym razie niekwestionowane – stają się nie do przyjęcia z chwilą, gdy członkowie grupy uzyskują status obywateli (kilka przykładów rozważę w rozdziale 4). Ma to dwojakie konsekwencje, które musi uwzględniać każda teoria tolerancji: choć państwo narodowe jest mniej tolerancyjne wobec grup, to może je zmuszać do większej tolerancji wobec jednostek. To drugie zjawisko jest konsekwencją (częściowego i niezakończonego) procesu transformacji tych grup w dobrowolne stowarzyszenia. W miarę rozluźniania się wewnętrznej kontroli grupy mniejszościowe mogą utrzymać swych członków tylko o tyle, o ile mają przekonujące doktryny, atrakcyjną kulturę, użyteczne organizacje i o ile poczucie przynależności do grupy ma liberalny, niekrępujący charakter. Istnieje też alternatywna strategia zamykania się w sztywnym kręgu sekciarskich rygorów. Stwarza ona jednak nadzieję na utrzymanie tylko niewielkiego grona prawdziwych wyznawców. W celu pozyskania większej liczby członków konieczne są bardziej otwarte, luźniejsze formy organizacyjne. Wszystkie takie formy stwarzają jednak podobne niebezpieczeństwa: stopniowego zacierania się odrębności grupy i jej sposobu życia.

Mimo tych trudności wiele znaczących różnic, zwłaszcza religijnych, zdołało utrzymać się w liberalnych i demokratycznych państwach narodowych. Mniejszości faktycznie potrafią z dużym powodzeniem tworzyć i reprodukować pewną wspólną kulturę właśnie dlatego, że znajdują się pod presją narodowej większości. Przygotowują się, zarówno społecznie, jak i psychicznie, do stawienia oporu, czyniąc ze swoich rodzin, więzi sąsiedzkich, wyznań i stowarzyszeń pewnego rodzaju namiastkę ojczyzny, której granic bronią ze wszystkich sił. Następuje oczywiście odpływ jednostek, które podają się za członków większości, przyswajając sobie powoli jej sposób życia, bądź zawierają mieszane małżeństwa i wychowują dzieci, które nie pamiętają lub nie znają kultury mniejszości. Ale dla większości te autotransformacje są zbyt trudne, zbyt bolesne albo zbyt upokarzające; trzyma się ona kurczowo własnej tożsamości i podobnie identyfikowanych ludzi.

Mniejszości narodowe (w znacznie większym stopniu niż religijne) są grupami najczęściej narażonymi na rozmaite niebezpieczeństwa. Jeśli zamieszkują zwarte terytoria – tak jak Węgrzy w Rumunii – to nie bez racji będą posądzane o to, że żywią nadzieję na utworzenie własnego państwa lub na wcielenie do ościennego państwa, w którym ich pobratymcy dzierżą suwerenną władzę. Arbitralne procedury ustalania granic państwowych notorycznie prowadzą do powstawania tak rozmieszczonych mniejszości, grup narażonych na tego rodzaju podejrzenia i niezmiernie trudnych do tolerowania. Najlepszym wyjściem byłoby przypuszczalnie przesunięcie granic i stworzenie im możliwości oderwania się od państwa albo zagwarantowanie pełnej autonomii[9]. Okazujemy tolerancję innym, gdy ograniczamy prerogatywy naszego państwa w taki sposób, aby ci inni mogli żyć w przestrzeni społecznej dostosowanej do ich potrzeb. Bardziej prawdopodobne są oczywiście inne rozwiązania: przyznanie urzędowego statusu językowi mniejszości i przekazanie bardzo ograniczonych kompetencji miejscowej administracji zdarza się dość powszechnie, choć często towarzyszą temu próby osiedlania członków większości w newralgicznych politycznie rejonach przygranicznych i powtarzające się kampanie asymilacyjne.

Po pierwszej wojnie światowej podejmowano pewne próby zagwarantowania tolerancji mniejszościom narodowym mieszkającym w nowych (i skrajnie heterogenicznych) „państwach narodowych" Europy Wschodniej. Gwarantem ich praw była Liga Narodów, a gwarancje te zapisano w licznych traktatach narodowościowych i mniejszościowych. Jest rzeczą znamienną, że nie przypisywały one praw grupom, lecz szablonowo rozumianym jednostkom. I tak polski traktat mniejszościowy dotyczy

---

[9] Taką linię argumentacji przedstawia Will Kymlicka w pracy *Multicultural Citizenship* (Oxford University Press, New York 1995), odnosząc ją zwłaszcza do podbitych mniejszości, takich jak tubylcze społeczności Nowego Świata. Zasadniczo argumentacja ta stosuje się do każdej silnie zakorzenionej mniejszości zamieszkującej zwarte terytorium, ale nie do grup imigranckich – z powodów, które wyjaśnię, idąc śladem argumentacji Willa Kymlicki, w następnym podrozdziale.

„polskich obywateli, którzy należą do rasowych, religijnych lub językowych mniejszości". Z takiego sformułowania nie wynikają żadne konsekwencje dla autonomii grup mniejszościowych; nie ma tu mowy o przekazaniu części uprawnień miejscowej administracji ani o mniejszościowym szkolnictwie. W rzeczywistości nawet gwarancje praw jednostki okazały się iluzoryczne: większość nowych państw potwierdzała swą suwerenność, ignorując (lub unieważniając) te traktaty, a Liga Narodów nie była w stanie wyegzekwować ich respektowania.

Jednak te nieudane próby zasługują z pewnością na kontynuowanie, może z wyraźniejszym uwzględnieniem wszystkiego, co łączy przeciętnego członka mniejszości z innymi członkami tej grupy. ONZ-owski Pakt Praw Obywatelskich i Politycznych (1966) czyni dalszy krok w tym kierunku: osoby należące do tych grup mniejszościowych „nie mogą być pozbawione prawa do własnego życia kulturalnego, wyznawania i praktykowania własnej religii oraz posługiwania się własnym językiem wraz z innymi członkami danej grupy"[10]. Warto zwrócić uwagę, że

---

[10] Zarówno ten, jak i poprzedni cytat zaczerpnąłem z książki: Patrick Thornberry, *International Law and the Rights of Minorities* (Oxford University Press, Oxford 1991); zob. rozważania o traktatach, s. 132–137. [*Międzynarodowy Pakt Praw Obywatelskich i Politycznych*, w: *Prawo w stosunkach międzynarodowych. Wybór dokumentów*, opr. S. Bieleń, Wydział Dziennikarstwa i Nauk Politycznych UW, Fundacja Studiów Międzynarodowych, Warszawa 1996, s. 158].

sformułowanie to pozostaje nadal w zgodzie z zasadą państwa narodowego: grupa mniejszościowa zostaje uznana jako pewne ciało zbiorowe; jednostki działają „wraz z innymi członkami danej grupy"; tylko narodowa większość działa jako wspólnota.

W czasie wojny lojalność mniejszości narodowych wobec państwa narodowego, niezależnie od tego, czy zamieszkują one zwarte obszary i czy są uznawane przez społeczność międzynarodową, łatwo podać w wątpliwość – nawet wbrew wszelkim dostępnym świadectwom, jak to było w przypadku antynazistowskich uchodźców niemieckich we Francji w pierwszych miesiącach drugiej wojny światowej. I znów: tolerancja załamuje się, gdy inni wyglądają groźnie albo gdy nacjonalistyczni demagodzy zdołają takimi ich ukazać. Los Amerykanów pochodzenia japońskiego kilka lat później jest kolejnym potwierdzeniem tej tezy – ich amerykańscy współobywatele naśladowali niejako typowe społeczeństwa państw narodowych. Tymczasem Japończycy nie byli ani nie są, przynajmniej w zwykłym rozumieniu tego słowa, mniejszością narodową w Stanach Zjednoczonych: kto miałby bowiem stanowić nację większościową? Większości w społeczeństwie amerykańskim mają tymczasowy charakter; tworzą się według rozmaitych kryteriów do różnych celów i w różnorodnych okolicznościach (mniejszości też są tymczasowe, choć pochodzenie rasowe w połączeniu z niewolnictwem stanowi tu pewien wyjątek;

rozważę go nieco później). W przeciwieństwie do
tego najistotniejszą cechą państwa narodowego jest
występowanie trwałej większości. Tolerancja w państwach narodowych ma tylko jedno źródło i zwraca
się albo się nie zwraca tylko w jednym kierunku.
Przypadek Stanów Zjednoczonych ukazuje diame-
tralnie odmienny zbiór regulacji ustrojowych.

Społeczeństwa imigranckie

Piątym modelem koegzystencji i możliwych form
tolerancji jest społeczeństwo imigranckie[11]. Tutaj
członkowie różnych grup opuścili macierzystą zie-
mię, ojczyznę; pojedynczo lub z rodzinami przybywali do nowego kraju, a następnie rozpraszali się na
jego obszarze. Wprawdzie napływali falami w wyniku presji podobnych czynników politycznych i ekonomicznych, nie przybywali jednak w zorganizowa-

---

[11] Opieram się tu głównie na przykładzie społeczeństwa
USA i polegam na opinii Johna Highama, który jest moim naj-
ważniejszym przewodnikiem po życiu politycznym amerykańskich imigrantów; zob. *Strangers in the Land* i *Send These to
Me: Jews and Other Immigrants in Urban America* (Athene
um, New York 1975). Korzystałem również z artykułów i esejów opublikowanych w książce Stephana Thernstroma (red.),
Harvard Encyclopedia of American Ethnic Groups (Harvard
University Press, Cambridge, MA 1980) – oraz z własnej pracy
o amerykańskim pluralizmie *What It Means to Be an American*
(Marsilio, New York 1992), a także, naturalnie, z naocznej obserwacji tego pluralizmu.

nych grupach. Nie są kolonistami, którzy świadomie zamierzają zaszczepić swą rodzimą kulturę w nowym miejscu. Dla wygody łączyli się tylko w stosunkowo nieliczne grupy, które zawsze mieszały się z innymi, podobnymi grupami w miastach, państwach i regionach. Nie wchodzi tu zatem w grę żadna forma autonomii terytorialnej. (Choć społeczeństwo Kanady jest społeczeństwem imigranckim, to Quebec stanowi oczywisty wyjątek od tej reguły; pierwsi osadnicy przybyli tu jako koloniści, a nie jako imigranci, i zostali następnie podbici przez Brytyjczyków. Inny wyjątek to ludność tubylcza, która również padła ofiarą podboju. W tej części rozważań skoncentruję się głównie na imigrantach. W sprawie Québecois i ludności tubylczej zob. podrozdział „Kanada" w rozdziale 3; o czarnych Amerykanach przywiezionych jako niewolnicy traktuje podrozdział „Klasa" w rozdziale 4.)

Jeśli grupy etniczne i religijne mają przetrwać, to muszą teraz zabiegać o to jako w pełni dobrowolne stowarzyszenia. Oznacza to, że większym zagrożeniem jest dla nich obojętność ich członków niż nietolerancja ze strony innych. Państwo, gdy tylko wyzwoli się spod dominacji pierwszych imigrantów, którzy zawsze wyobrażali sobie, że tworzą własne państwo narodowe, nie angażuje się po stronie żadnej z grup wchodzących w jego skład. Zachowuje język pierwszych imigrantów, a także – z pewnymi zastrzeżeniami – ich polityczną kulturę,

ale, przynajmniej jeśli chodzi o jego współczesne
osiągnięcia, pozostaje, jak głosi obiegowa formuła
(i jego fundamentalna zasada), neutralne wobec poszczególnych grup, tolerancyjne dla każdej z nich
i autonomiczne w swoich celach.

Państwo to rości sobie wyłączne prawa do jurysdykcji nad wszystkimi swoimi obywatelami jako raczej jednostkami niż członkami grup. Ściśle biorąc,
przedmiotem tolerancji są zatem decyzje i działania
jednostki: akt wstępowania do wspólnoty, uczest-
nictwo w obrzędach związanych z przynależnością
do grupy i kultem religijnym, formy ekspresji kulturowej odmienności itd. Państwo skłania poszczególnych ludzi, by tolerowali się nawzajem jako
jednostki, by traktowali każdy przypadek różnicy
jako spersonalizowaną (a nie stereotypową) wersję
kultury grupowej – co oznacza zarazem, że członkowie każdej grupy, jeśli mają manifestować cnotę
tolerancji, muszą akceptować nawzajem swoje wersje. Wkrótce pojawia się wiele wersji kultury każdej
grupy mniejszościowej i wiele różnych stopni zaangażowania w każdą z kultur. Tolerancja przyjmuje
zatem skrajnie zdecentralizowaną postać: każdy
musi tolerować każdego innego.

Żadna grupa w społeczeństwie imigranckim nie
ma prawa organizować się, stosując przymus wobec swoich członków, nie ma prawa zawłaszczać
przestrzeni publicznej ani monopolizować publicznych zasobów. Żadne formy korporacjonizmu nie

są dozwolone. Zasadniczo w szkołach publicznych naucza się historii oraz „obywatelskości" państwa, któremu nie przypisuje się żadnej tożsamości narodowej, lecz tylko tożsamość polityczną. Oczywiście zasada ta wprowadzana jest w życie stopniowo i w wielce niedoskonały sposób. Na przykład od czasu utworzenia szkół publicznych w Stanach Zjednoczonych w szkołach tych nauczano tego, co Angloamerykanie uważali za swą historię i kulturę – a co sięga starożytnej Grecji i Rzymu i obejmuje języki klasyczne oraz literaturę. Istniało, i nadal istnieje, ważkie usprawiedliwienie takiego programu nauczania nawet po falach imigracji w połowie XIX wieku (gdy przyjeżdżali Niemcy i Irlandczycy) i na przełomie stuleci (mieszkańcy Europy Południowej i Wschodniej), ponieważ taki rodzaj edukacji pozwala najlepiej zrozumieć amerykańskie instytucje polityczne. W czasach mniej odległych (i oczywiście w trakcie trzeciej wielkiej fali imigracji, która tym razem jest wybitnie pozaeuropejska) podejmowano próby włączenia historii i kultury tych różnorodnych grup do programów nauczania, zagwarantowania im pewnego rodzaju równorzędnego statusu i stworzenia w ten sposób „wielokulturowego" szkolnictwa. W rzeczywistości jednak kultura Zachodu nadal dominuje w programach szkolnych niemal w każdym zakątku Stanów Zjednoczonych.

Państwo to nie powinno też angażować się po stronie kultury żadnej grupy lub powinno w równym stopniu udzielać wsparcia wszystkim grupom – na przykład starając się rozbudzić ogólnie pojętą religijność, jak to czyniły plakaty rozklejane w pociągach i autobusach w latach pięćdziesiątych; nakłaniały one Amerykanów, by „uczęszczali do kościoła, który sami sobie wybrali". Jak wskazuje ten slogan, neutralność jest zawsze kwestią stopnia. W rzeczywistości niektóre grupy są faworyzowane kosztem innych – tu grupy z „kościołami" mniej lub bardziej podobnymi jak u pierwszych imigrantów protestanckich; inni korzystają jednak nadal z przywilejów tolerancji. Ani uczęszczanie do kościoła, ani żadne inne specyficzne praktyki kulturowe nie stały się również warunkiem uzyskania praw obywatelskich. Opuszczenie własnej grupy i przyjęcie dominującej tożsamości politycznej (tu „amerykańskiej") jest zatem stosunkowo łatwe i zupełnie nie ma upokarzającego charakteru.

Wielu ludzi w społeczeństwie imigranckim woli jednak wybrać tożsamość „z dywizem" lub podwójną, zróżnicowaną po linii kulturowej lub politycznej. Na przykład dywiz we „włosko-amerykański" symbolizuje akceptację „włoskości" przez innych Amerykanów, uznanie, że „amerykański" oznacza tożsamość polityczną pozbawioną mocnych czy specyficznych rysów kulturowych. Ma to, rzecz jasna, tę konsekwencję, że „włoski" oznacza tożsamość kulturową pozbawioną implikacji politycznych. Jest to jedyna forma, w jakiej włoskość jest tolerowana w Stanach Zjednoczonych, i Amerykanie włoskiego pochodzenia muszą podtrzymywać swą kulturę, jeśli potrafią lub dopóki potrafią, w sferze prywatnej dzięki dobrowolnemu wysiłkowi i wsparciu zaangażowanych jednostek. Zasadniczo stosuje się to również do wszystkich grup kulturowych i religijnych, nie tylko mniejszościowych (choć, znów, nie ma tu trwałej większości).

Pytanie, czy grupy te mogą przetrwać w takich warunkach – bez autonomii, bez dostępu do władzy i bez oficjalnego uznania, a także bez terytorialnego oparcia czy niewzruszonego oporu trwałej większości – nie doczekało się jeszcze odpowiedzi. Wspólnoty religijne, zarówno sekciarskiego, jak i „kościelnego" typu, radziły sobie jak dotąd w Stanach Zjednoczonych całkiem nieźle. Ale jednym z powodów ich względnych sukcesów mogła być spora doza nietolerancji, z jaką spotykała się w rzeczywistości większość z nich; nietolerancja prowadzi często, jak już stwierdziłem, do scementowania grupy. Grupy etniczne radziły sobie gorzej, chociaż głosy chcących spisać je na straty są prawie na pewno przedwczesne. Grupy te przetrwały w wersji, można by rzec, z podwójnym dywizem: kultura grupy jest na przykład amerykańsko-włoska, co oznacza, że przyjmuje w znacznej mierze amerykańskie formy i przeobraża się w coś wyraźnie odmiennego od włoskiej kultury w kraju macierzystym, natomiast działalność polityczna grupy jest włosko-amerykańska,

to znaczy stanowi etniczną adaptację miejscowych
praktyk i form politycznych. Zwróćmy uwagę, jak
dalece John Kennedy pozostał politykiem irlandz-
kim, Walter Mondale jest nadal norweskim socjal-
demokratą, Mario Cuomo – włoskim intelektualistą-
w-polityce o orientacji chadeckiej, a Jesse Jackson
– czarnym kaznodzieją baptystycznym; każdy z nich
jest pod wieloma względami podobny do standardo-
wego anglo-amerykańskiego typu, ale pod tym aku-
rat względem od niego różny[12].
   Nie wiadomo, czy takie różnice przetrwają w następnych pokoleniach. Ich bezpośrednie przetrwanie
jest zapewne mało prawdopodobne. Nie oznacza to
jednak, że następcy czterech wymienionych postaci
i wielu innych im podobnych nie będą się niczym
od siebie różnić. W dalszym ciągu powstają bowiem
nowe formy różnicy charakterystyczne dla społeczeństw imigranckich. Nie wiemy, jak „różne" będą
przyszłe różnice. Tolerowanie jednostkowych wyborów i spersonalizowanych wersji kultury i religii
stanowi najwyższą (lub najintensywniejszą) formę
rządów tolerancji. Pozostaje jednak dalece niejasne,
czy długofalową konsekwencją tego maksymalizmu
będzie ożywienie, czy raczej dezintegracja życia
grupowego.
   Obawa, że jedynym przedmiotem tolerancji staną
się wkrótce ekscentryczne jednostki, skłania niektó-

---

[12] Przykłady te podsunął mi Clifford Geertz.

re grupy (a raczej ich najbardziej zaangażowanych członków) do zabiegania o aktywne wsparcie ze strony państwa – np. w formie subsydiów i przyznawania grantów na ich szkoły i organizacje wzajemnej pomocy. Biorąc pod uwagę logikę wielokulturowości, pomoc państwa musi być udzielana, jeśli w ogóle jest udzielana, wszystkim grupom społecznym na jednakowych warunkach. W praktyce niektóre grupy dysponują jednak od początku znacznie większymi środkami niż inne i lepiej potrafią wykorzystać możliwości oferowane przez państwo. Społeczeństwo obywatelskie jest zatem zorganizowane nierówno, a silne i słabe grupy z różną skutecznością starają się pomagać swoim członkom i utrzymać ich w swoich szeregach. Gdyby państwo chciało doprowadzić do zrównania tych grup, musiałoby przeprowadzić szeroko zakrojoną redystrybucję środków i przeznaczyć na to niemało publicznych pieniędzy. Zakres tolerancji jest, przynajmniej potencjalnie, nieograniczony, ale państwo może asekurować życie wspólnotowe różnych grup tylko w pewnych politycznych i finansowych granicach.

Podsumowanie

Dogodnie będzie wymienić w tym miejscu sukcesywne przedmioty tolerancji w pięciu scharakteryzowanych ustrojach (nie chcę jednak twierdzić, że wyznaczają one stadia postępu; także kolejność, w jakiej je przedstawiłem, nie jest chronologiczna). W wielonarodowym imperium, podobnie jak w społeczności międzynarodowej, tolerancję okazuje się grupom – niezależnie od tego, czy mają one status autonomicznej wspólnoty, czy suwerennego państwa. Ich prawa, praktyki religijne, procedury sądowe, polityka fiskalna i dystrybucyjna, programy edukacyjne i struktury rodzinne uchodzą za uprawnione bądź dopuszczalne i podlegają tylko pewnym minimalnym ograniczeniom, które rzadko są ściśle egzekwowane (lub egzekwowalne). Podobnie rzecz się ma z państwem związkowym, choć dochodzi tu pewien nowy element: powszechne prawa obywatelskie, które odgrywają znacznie poważniejszą rolę niż w większości imperiów i które stwarzają państwu przynajmniej możliwość ingerowania w praktyki grupy w imię praw jednostki. W demokratycznych państwach związkowych (takich jak Szwajcaria) możliwość ta została w pełni urzeczywistniona, ale w wielu innych krajach, w których rządy demokratyczne są słabe, a państwo związkowe istnieje tylko dzięki tolerowaniu stowarzyszonych grup i skupia się głównie na utrzymaniu ich jedności, prawa jednostki nie są skutecznie egzekwowane.

Prawa obywatelskie mają większe znaczenie w państwie narodowym. Przedmiotem tolerancji są tu jednostki rozumiane jako obywatele i jako członkowie określonej mniejszości. Toleruje się je, by tak rzec, ze względu na ich nazwy rodzajowe. Od jednostek tych nie wymaga się jednak przynależności do jakiegoś rodzaju (w odróżnieniu od posiadania obywatelstwa państwa); ich grupy nie zmuszają ich do posłuszeństwa, a państwo będzie aktywnie interweniowało, broniąc ich przed wszelkimi próbami wywierania przymusu. Spektrum możliwych wyborów rozszerza się tym samym o nowe możliwości, takie jak luźna przynależność do grupy, brak jakichkolwiek afiliacji grupowych, asymilacja w grupie większościowej. W społeczeństwach imigranckich to spektrum możliwości ulega dalszemu poszerzeniu. Jednostki są tu tolerowane jako jednostki pod ich własnymi nazwiskami, a ich wybory rozpatruje się w terminach osobistych, a nie stereotypowych. Pojawiają się spersonalizowane wersje życia grupowego, liczne sposoby bycia tym czy tamtym, które inni członkowie grupy muszą tolerować choćby dlatego, że toleruje je społeczeństwo jako całość. Fundamentalistyczna ortodoksja wyróżnia się właśnie odmową uznania tej powszechnej tolerancji za powód do swobodniejszego spojrzenia na własną kulturę religijną. Niekiedy zwolennicy fundamentalizmu występują nawet przeciwko całym rządom tolerancji w społeczeństwie imigranckim.

Rozdział 3

PRZYPADKI ZŁOŻONE

Każdy przypadek jest wyjątkowy, o czym dobrze wie każdy bezpośrednio weń uwikłany. Chciałbym jednak przyjrzeć się teraz bliżej trzem państwom, które w szczególnie oczywisty sposób nie przystają do kategorii sformułowanych w rozdziale 2. W każdym z nich występują formy rządów społecznie lub ustrojowo niejednorodne i dzielące się na dwie bądź trzy części, czym narzucają wymóg jednoczesnego praktykowania różnych rodzajów tolerancji. Odzwierciedla to powszednią złożoność „realnego życia", z której musiałem wyabstrahować swoje kategorie. Następnie omówię pokrótce Wspólnotę Europejską, która jest tworem zupełnie nowym nie tyle przez to, że spaja różnorodne formy rządów, ile raczej dlatego, że włącza je do ciągle rozwijającej się struktury ustrojowej.

Francja

Przypadek Francji jest szczególnie użyteczny, ponieważ stanowi ona klasyczne państwo narodowe, a jednocześnie najważniejsze społeczeństwo imigranckie Europy, należące nawet do najważniejszych społeczeństw imigranckich na świecie. Rozmiary zjawiska migracji we Francji przesłaniają jednak niezwykłe zdolności asymilacyjne narodu francuskiego – które sprawiają, że wyobrażamy sobie zwykle Francuzów jako jednorodne społeczeństwo o bardzo charakterystycznej, odrębnej kulturze. Aż do niedawna liczne rzesze imigrantów ze Wschodu i Południa (Polacy, Rosjanie, Żydzi, Włosi i mieszkańcy Afryki Północnej) nie konstytuowały się jako zorganizowane mniejszości narodowe. Imigranci tworzyli tylko rozmaite formy organizacji wspólnotowych – wydawnictwa, obcojęzyczną prasę itd. – jednak (z wyjątkiem niewielkich grup uchodźców politycznych, którzy nie zamierzali osiąść we Francji na stałe) gromadzili się tylko po to, by udzielać sobie wzajemnie wsparcia i dodawać otuchy w warunkach silnej presji i niezwykle szybkiego tempa procesów asymilacji we francuskim życiu kulturalnym i politycznym. W daleko większym stopniu niż inne kraje europejskie Francja była społeczeństwem imigrantów[1]. Niemniej jednak

---

[1] Zob. William Rogers Brubaker (red.), *Immigration and the Politics of Citizenship in Europe and North America* (University Press of America, Lanham, MD 1989), s. 7.

społeczeństwo francuskie nie jest pluralistyczne, a w każdym razie samo za takie się nie uważa ani nie jest uważane przez innych.

Najbardziej wiarygodne wyjaśnienie tej anomalii – fizycznego istnienia i pojęciowej nieobecności kulturowej różnicy – kryje się zapewne w nowożytnych dziejach Francji, a zwłaszcza w rewolucyjnych procesach powstawania republikańskiego państwa narodowego. Nacjonalizm, który rodził się w toku walki z Kościołem i siłami *ancien régime*'u, miał polityczny i populistyczny charakter: wynosił na piedestał lud jako zbiorowość oddanych sprawie obywateli. Choć sprawa ta była w równej mierze francuska jak republikańska, to nie była to francuskość, którą można by zdefiniować religijnie, etnicznie lub historycznie. Francuzem w nowym rozumieniu tego słowa stawał się ten, kto stawał się republikaninem; w szczytowym okresie rewolucji i przynajmniej sporadycznie w latach późniejszych obcokrajowcy byli we Francji przyjmowani przychylnie – jeśli tylko uczyli się języka francuskiego, oddawali swe siły sprawie republiki, posyłali dzieci do szkół państwowych i świętowali Dzień Zdobycia Bastylii[2].

---

[2] Prawdziwa historia recepcji imigrantów we Francji jest daleko bardziej złożona, niż może to sugerować ten krótki opis. Znakomicie przedstawia ją William Rogers Brubaker w pracy *Citizenship and Nationhood in France and Germany* (Harvard University Press, Cambridge, MA 1992).

Uważano, że imigranci nie powinni tworzyć żadnych wspólnot etnicznych, które istniałyby obok wspólnoty obywatelskiej (i potencjalnie wchodziły z nią w konflikt). Wrogą postawę Francuzów wobec silnych, dodatkowych stowarzyszeń, które różnicują i dzielą obywateli, antycypował w teorii politycznej Jean-Jacques Rousseau, a po raz pierwszy wyraziła ją w sposób całkowicie niedwuznaczny debata legislatywy poświęcona emancypacji Żydów (1791). Clermont-Tonnerre, deputowany centrum, przemawiał w imieniu większości (która opowiadała się za emancypacją), gdy deklarował: „Należy odmówić wszystkiego Żydom jako narodowi i dać wszystko Żydom jako jednostkom"[3]. Jean-Paul Sartre, który pisał o tej kwestii w 1944 roku, twierdził, że taka postawa była nadal charakterystyczna dla typowego francuskiego „demokraty". „Wynika z tego jasno, że jego [demokraty] obrona ocala Żyda jako człowieka, ale unicestwia go jako Żyda [...] chce zniszczyć go jako Żyda i pozostawić jedynie [...] abstrakcyjny i uniwersalny podmiot prac człowieka i obywatela"[4]. Jednostki mogły zatem podlegać tylko naturalizacji i asymilacji; w tym sensie francuskość była

---

[3] Analiza tej debaty zob. Gary Kates, *Jews into Frenchmen: Nationality and Representation in Revolutionary France*, „Social Research", 56 (wiosna 1989), s. 229.

[4] Jean-Paul Sartre, *Anti-Semite and Jew* (Schocken, New York 1995), s. 56–57 [wyd. pol.: J.-P. Sartre, *Rozważania o kwestii żydowskiej*, przeł. Jerzy Lisowski, Książka i Wiedza, Warszawa 1957, s. 53–54].

tożsamością ekspansywną. Francja jako republikańskie państwo narodowe nie mogła wszak tolerować – jak podkreślał Clermont-Tonnerre – „narodu w narodzie".

Rewolucja ukształtowała w ten sposób postawę Francuzów wobec wszystkich grup imigranckich. Postawa ta była zgodna z wcześniejszą, konsekwentną odmową uznania, że Normandczycy, Bretończycy czy Akwitańczycy stanowią prawdziwe mniejszości narodowe. I trzeba przyznać, że francuscy republikanie przez długie lata z niemałym powodzeniem podtrzymywali ten unitarny ideał rewolucji. Nie ulega również wątpliwości, że imigranci asymilowali się całkiem chętnie, radzi z tego, że mogą nazywać się obywatelami francuskimi. Chcieli być tolerowani tylko jako jednostki – mężczyźni i kobiety, którzy chodzą do synagogi, mówią w domu po polsku bądź czytają rosyjską poezję. Nie mieli, a w każdym razie nie wyrażali żadnych publicznych aspiracji jako członkowie odrębnej mniejszości.

Sytuacja zmieniła się jednak po rozpadzie zamorskiego imperium i pojawieniu się we Francji licznych grup północnoafrykańskich Żydów i jeszcze liczniejszych arabskich wyznawców islamu. Grupy te, po części z racji liczebności, a po części z powodu zmiany klimatu ideologicznego, zaczęły wystawiać na próbę, a następnie kwestionować ten republikański ideał. Ich członkowie mają własne kultury, które chcą zachować i reprodukować, a w przeci-

wieństwie do wcześniejszych imigrantów nie są gotowi posyłać swoich dzieci do szkół państwowych,
mocno zaangażowanych w program „francuzyzacji"
(w odróżnieniu od „amerykanizacji" słowo to nie
funkcjonuje – tak dalece nieuświadamiany był ten
proces)[5]. Chcą być uznawani jako grupa i mieć moż-
ność publicznego wyrażania swojej grupowej tożsamości. Chcą być francuskimi obywatelami żyjący-
mi niejako obok Francuzów, a wielu z nich czynnie
okazuje nietolerancję swym pobratymcom Żydom
lub Arabom, którzy zmierzają do tradycyjnej asymilacji własnej bądź swoich dzieci.

Bezpośrednim następstwem takiego stanu rzeczy jest niepokojące ochłodzenie stosunków między
republikańskimi asymilacjonistami (reprezentowanymi przez rząd, prawicowe i lewicowe partie polityczne, związek zawodowy nauczycieli itd.) a nowymi grupami imigranckimi (reprezentowanymi przez
wybranych lub samozwańczych przywódców i bojowników). Republikanie starają się utrzymać powszechną, jednorodną wspólnotę obywateli i okazują tolerancję odmienności religijnej i etnicznej,
jeśli tylko nie wykracza ona poza sferę życia prywatnego i rodzinnego – klasyczna norma państwa
narodowego. Nowi imigranci, a raczej wielu z nich,
poszukują jakiejś wersji wielokulturowości, choć
przeważnie nie są gotowi zaakceptować jej wersji

---

[5] Jednak słowo *francisation* pojawia się w dyskusjach to-
czących się obecnie w Quebec.

amerykańskiej, w której każda kultura jest różnorako ukonstytuowana i wewnętrznie skonfliktowana. Może naprawdę oczekują czegoś w rodzaju systemu milletów – zamorskiego imperium odtworzonego wewnątrz kraju.

Izrael

Izrael jest nawet jeszcze bardziej złożony niż Francja, ponieważ łączy w sobie trzy spośród czterech możliwych form rządów wewnętrznych – a czwartą kiedyś propagowano. W latach trzydziestych i czterdziestych XX wieku jedna z frakcji ruchu syjonistycznego opowiadała się za utworzeniem arabsko-żydowskiego państwa związkowego, państwowości dwunarodowej. W praktyce okazało się jednak, że projekt ten jest niemożliwy do urzeczywistnienia, ponieważ podstawową kwestią sporną w rozmowach między Żydami i Arabami była polityka imigracyjna. Problem nie polegał na tym, jaki kształt organizacyjny nadać rządom tolerancji (w ramach jakich struktur państwowych Żydzi i Arabowie mogliby się najłatwiej tolerować?), ale na tym, kto miałby im podlegać (ilu Żydów i Arabów miałoby znaleźć się w państwie?). Na to ostatnie pytanie żadna z tych dwóch grup nie potrafiła znaleźć wspólnej odpowiedzi. Problem imigracji stał się szczególnie palący dla Żydów w latach trzydziestych i czterdziestych i był

podstawowym powodem utworzenia niepodległego
państwa żydowskiego.

Państwo to nie ma oczywiście charakteru związkowego. Mimo to jest głęboko podzielone, i to podzielone na trzy sposoby. Po pierwsze, współczesny Izrael jest państwem narodowym, które zostało
utworzone przez klasyczny dziewiętnastowieczny
ruch nacjonalistyczny i które obejmuje pokaźną
„mniejszość narodową", palestyńskich Arabów.
Członkowie tej mniejszości są obywatelami państwa, ale ich historia i kultura nie znajdują żadnego
odzwierciedlenia w życiu publicznym. Po wtóre,
Izrael należy do państw, które powstały po rozpadzie imperium osmańskiego (i po krótkim okresie
panowania brytyjskiego), i zachował system milletów dla różnych wspólnot religijnych – żydowskiej,
muzułmańskiej i chrześcijańskiej – pozwalając im
tworzyć własne sądownictwo (w zakresie prawa
rodzinnego) i wprowadzając częściowo zróżnicowane programy edukacyjne. Po trzecie, większość
żydowska w Izraelu jest społeczeństwem imigrantów wywodzących się ze wszystkich części rozproszonej po świecie diaspory – „żniwem" zebranym
pośród mężczyzn i kobiet, którzy mimo wspólnej
żydowskości (która czasami również bywa kwestionowana) mają bardzo odmienne historie i kultury. Niekiedy są to różnice etniczne, a niekiedy
religijne. Tworzą oni rozczłonkowaną większość,
która łączy siły tylko w obliczu wojowniczych wy-

stąpień mniejszości – a i to nie zawsze. Syjonizm jest znaczną siłą kształtującą więź narodową, ale nie ma asymilacyjnych zdolności francuskiego republikanizmu.

Każda z tych krótkich charakterystyk jest niejako standardowa dla danego typu; każda forma rządów – państwo narodowe, imperium, społeczeństwo imigranckie – przedstawia się mniej więcej tak jak wówczas, gdy istnieje samodzielnie. W praktyce jednak te trzy formy oddziałują na siebie wzajemnie w bardzo złożony sposób i stwarzają napięcia i konflikty niezależne od tkwiących w każdej z nich z osobna[6]. System milletów zamyka na przykład jednostki w ich wspólnotach religijnych, te jednak nie stanowią naturalnych czy swoistych wspólnot dla wszystkich obywateli – a zwłaszcza dla żydowskich imigrantów z Europy Zachodniej, obu Ameryk i dawnego Związku Radzieckiego, z których wielu jest skrajnie zeświecczonych lub religijnych na własną modłę. Uważają oni sądy rabinackie za nietolerancyjne i opresywne, za relikt jakiegoś *ancien régime*'u, którego nigdy nie znali.

W poniekąd podobny sposób mniejszość arabska postrzega żydowskich imigrantów jako zniewagę i zagrożenie – nie tylko dlatego, że utwierdzają

---

[6] Użyteczne ujęcie niektórych z tych konfliktów zob. Dan Horowitz i Moshe Lissak, *Trouble in Utopia: The Overburdened Polity of Israel* (State University of New York Press, Albany 1989).

oni jej mniejszościowy status, ale także dlatego, że odgrywają dominującą rolę w politycznej walce o uznanie własnych praw i równe traktowanie. W przeciwieństwie do Arabów imigranci spodziewają się znaleźć swoją historię i kulturę odzwierciedloną w życiu publicznym państwa żydowskiego, ale wielu nie znajduje. Z uwagi na swą odmienność skłonni są domagać się jakiejś wersji neutralności państwa czy wielokulturowości charakterystycznej dla społeczeństwa imigranckiego – co nie było zamysłem syjonistycznych założycieli państwa. Choć regulacje te zasadniczo dotyczą również Arabów, to w praktyce nie obejmują mniejszości arabskiej – czy też obejmują ją tylko formalnie, tak iż np. arabskie szkoły nie otrzymują proporcjonalnej części dotacji państwowych[7]. Dążenie do skutecznego zaprowadzenia wzajemnej tolerancji w kontekście imigranckim (czyli żydowskim) bierze zwykle górę nad dążeniem do stworzenia w państwie żydowskim pełnej tolerancji wobec mniejszości arabskiej. Czynnikiem, który wzmacnia to podejście, jest oczywiście międzynarodowy konflikt między Izraelem a jego arabskimi sąsiadami, ale w sytuacji tej ujawniają się również trudności, jakich przysparza koegzystencja różnych form ustrojowych.

Tolerancja staje się w tych warunkach tym trudniejsza, im mniej jest jasne, co miałoby być jej

---

[7] Alex Weingrod, *Palestinian Israelis?*, „Dissent" (lato 1996), s. 108–110.

właściwym przedmiotem: jednostki czy wspólnoty? Jeśli zaś te drugie, to czy wspólnoty powinny być religijne, narodowe czy etniczne? Odpowiedzi na te pytania muszą prawdopodobnie być inkluzywne: wszystkie wymienione. Gdyby udało się zażegnać konflikt międzynarodowy, tolerancja w tym trojako podzielonym społeczeństwie mogłaby okazać się znacznie łatwiejsza niż w wielu społeczeństwach, w których występuje tylko jedna linia podziału – ponieważ promieniowałaby niejako w różnych kierunkach i byłaby wprowadzana za pośrednictwem różnych struktur instytucjonalnych. Działanie takich pośredniczących instancji wymaga jednak stopniowego reformowania tych struktur, dostosowywania każdej z nich do pozostałych. Czego wymagałby ten proces? Może zwiększenia liczby różnych sądów religijnych, aby odzwierciedlić faktyczne podziały w trzech wspólnotach. Może jakiejś lokalnej autonomii arabskich miast i wiosek. Może zunifikowanego programu nauczania praw i obowiązków obywatelskich, który propagowałby wartości demokracji, pluralizmu i tolerancji i który zostałby narzucony wszystkim typom szkół państwowych – arabskim i żydowskim, świeckim i religijnym. Pierwsza z tych propozycji dostosowywałaby system milletów do potrzeb społeczeństwa imigranckiego, druga – modyfikowała państwo narodowe zgodnie z interesami jego narodowej mniejszości, a trzecia – wzmacniała uprawnienia tego państwa w stylu społeczeństwa imigranckiego – to znaczy w wymiarze raczej politycznym i moralnym niż narodowym, religijnym czy etnicznym. Równie łatwo jednak można sobie wyobrazić, że Izrael będzie przeżywał powtarzające się fale kryzysów w każdej z trzech form ustrojowych, a także na „granicach", gdzie formy te wzajemnie na siebie oddziałują.

Kanada

Kanada jest społeczeństwem imigranckim, w którym żyje też kilka mniejszości narodowych – plemiona tubylcze i Francuzi – będących jednocześnie narodami podbitymi. Mniejszości te nie są rozproszone na terytorium całego kraju w sposób charakterystyczny dla imigrantów, lecz mają także własną, bardzo odmienną historię. Ich pamięć zbiorowa nie zawiera wspomnień związanych z osiedlaniem się jednostek w nowym kraju, mówi natomiast o prastarych dziejach życia wspólnotowego. Mniejszości te dążą do podtrzymania tego wspólnotowego życia i żywią obawę, że może okazać się to niemożliwe w luźno zorganizowanym, wysoce mobilnym, indywidualistycznym społeczeństwie imigrantów. Nawet polityka silnych preferencji dla wielokulturowości nie może pomóc tego rodzaju mniejszościom, ponieważ taki kurs polityczny sprzyja raczej tożsamościom „z dywizem" – to znaczy tożsamościom wewnętrznie pękniętym, gdzie każda jednostka negocjuje dywiz, konstruując pewien rodzaj jedności dla siebie. Mniejszości kanadyjskie domagają się natomiast tożsamości negocjowanej zbiorowo. I właśnie do tego potrzebna jest im zbiorowa podmiotowość wyposażona w istotny autorytet polityczny.

Dla Québecois kwestią o zasadniczym znaczeniu jest życie po francusku – zachowanie języka, który stanowi obecnie ich podstawowy wyróżnik. Powszedniość tej społeczności nie różni się zasadniczo od życia innych Kanadyjczyków. Plemiona tubylcze mają nadal swą odrębną kulturę – obejmującą cały zakres działań społecznych – a także własne języki. Aby przetrwać w aktualnej postaci, obie te grupy musiałyby prawdopodobnie uzyskać pewien stopień autonomii w ramach państwa kanadyjskiego (albo utworzyć niepodległe państwa). Czy zasada tolerancji wymaga, aby pozwolono im to uczynić, lub podjąć próby w tym kierunku, przy wykorzystaniu prerogatyw politycznych i zastosowaniu środków przymusu nieodzownych do realizacji tego projektu? Czy nie należałoby raczej nakłonić ich, by przystosowali się do modelu społeczeństwa imigranckiego?

Ani rdzenni mieszkańcy Kanady, ani Québecois nie są jednak imigrantami. Nigdy nie zaakceptowali potencjalnych zagrożeń i strat kulturowych wiążących się z imigracją. Francuzi przybyli do Kanady jako koloniści; plemiona tubylcze są, jak sama

nazwa wskazuje, autochtonami, a mówiąc ściślej,
kolonistami z wcześniejszej epoki historycznej. Zarówno plemiona tubylcze, jak i Francuzi padli ofiarą podboju w toku wojen, które uznalibyśmy przypuszczalnie za wojny niesprawiedliwe (choć wojny
francusko-brytyjskie były zapewne niesprawiedliwe
po obu stronach, ponieważ chodziło o podporządkowanie sobie „Indian"). W kontekście takich historycznych zaszłości przyznanie im pewnego rodzaju
autonomii wydaje się całkowicie uzasadnione. Prak-
tyczna realizacja takiego projektu mogłaby napotkać
jednak trudności, ponieważ wymagałoby to wprowadzenia ustrojowych regulacji, które traktowałyby
odmiennie różne grupy ludności i ustanawiałyby
różne formy rządów w poszczególnych częściach
kraju – kraju wiernego liberalnej zasadzie równości
wobec prawa.

Odmowa Kanadyjczyków (jak dotąd) przyzna-
nia Quebecowi zagwarantowanego konstytucyjnie
„specjalnego statusu" – główna przyczyna secesjo-
nistycznej polityki w tej prowincji – ma źródło w tej
wierności. Dlaczego ta prowincja miałaby być trak-
towana inaczej od pozostałych? Dlaczego jej rząd
miałby dysponować inną władzą niż tamte? Pró-
bowałem już podać pewną historyczną odpowiedź
na te pytania, odpowiedź, która znajduje w istocie
potwierdzenie w treści warunków kapitulacji Francuzów w 1760 roku oraz w ustawie o Quebec z 1774
roku, na mocy którego Quebec wcielono do impe-

rium brytyjskiego. Inkorporację przeprowadzono zgodnie z klasycznymi wzorcami wielonarodowościowej polityki imperialnej: „gwarantowała ona, że religia rzymskokatolicka, język francuski, a także lenny system własności i prawa zwyczajowe pochodzące z okresu panowania francuskiego zostaną zachowane do czasu utworzenia ciała ustawodawczego. Członkowie ciała ustawodawczego Quebec będą mogli wówczas zmienić te dawne formy w sposób, jaki uznają za stosowny"[8].

Czy takie regulacje ustrojowe można by wprowadzić w liberalnym państwie i w społeczeństwie imigranckim, w którym inne grupy jego członków nie otrzymują tego rodzaju „gwarancji"? Nie ma jednoznacznej odpowiedzi na to pytanie. Wydaje się jednak, że tolerancja, która obejmuje grupy naprawdę różne, o odmiennej historii i kulturze, wymaga jakiegoś zróżnicowania prawnego i politycznego. Argumentacja przemawiająca za tym, co Charles Taylor określił mianem „asymetrycznego federalizmu", nie zależy tylko od historii (czy traktatów), lecz najkonkretniej opiera się na realnych postaciach różnic, jakie zdołały przetrwać, a także

---

[8] James Tully, *Strange Multiplicity: Constitutionalism in an Age of Diversity* (Cambridge University Press, Cambridge 1995), s. 145–146. Tully przedstawia znakomity opis dylematów tolerancji w Kanadzie i zdecydowanie broni praw Québecois, a zwłaszcza ludności tubylczej. Użyteczną liberalną korektę bliższą moim poglądom w tej książce podaje Kymlicka w *Multicultural Citizenship*.

na pragnieniu ludzi, którzy, by tak rzec, niosą je dalej w jednym celu: podtrzymania własnej kultury i odegrania roli jej rzeczywistych przedstawicieli[9]. Pragnienie jest bezsporne; dyskusyjne są tylko środki. Québecois twierdzą, że bez odpowiednich prerogatyw, które pozwoliłyby im wymusić posługiwanie się językiem francuskim w życiu codziennym, nie będą wkrótce w stanie utrzymać swojej mowy jako języka publicznego, biorąc pod uwagę aktualne wskaźniki imigracji i stałą presję ludności anglojęzycznej na całym terytorium Kanady. Twierdzą zarazem, że przymus ten można utrzymać w liberalnych granicach – to znaczy tolerować ludność niefrancuskojęzyczną (co gwarantowała również ustawa o Quebec) – nie narażając na niepowodzenie całego projektu. Jeśli tak jest, to wydaje się, że przypadek Quebec nie nasuwa żadnych problemów teoretycznych mimo istnienia trudności praktycznych, które uniemożliwiały dotychczas, i mogą jeszcze storpedować, wprowadzenie odpowiednich regulacji konstytucyjnych.

Przypadek rdzennych mieszkańców Kanady jest znacznie trudniejszy, ponieważ zupełnie nie wiadomo, czy ich sposób życia można w ogóle utrzy-

---

[9] Zob. zbiór esejów Charlesa Taylora poświęconych polityce etnicznej państwa kanadyjskiego *Reconciling the Solitudes: Essays on Canadian Federalism and Nationalism*, pod red. Guy Laforesta (McGill-Queens University Press, Montreal 1993).

mać, nawet w warunkach autonomii w liberalnych granicach: nie jest to, historycznie biorąc, liberalny sposób życia. Grupy, które charakteryzują się (tak jak np. większość Kościołów) wewnętrzną nietolerancją i brakiem liberalizmu, mogą być tolerowane w społeczeństwie liberalnym tylko wówczas, gdy przyjmują postać dobrowolnych stowarzyszeń. Czy mogą być jednak tolerowane jako autonomiczne wspólnoty z prawem do stosowania przymusu wobec swoich członków? Ten drugi rodzaj tolerancji mógł istnieć w dawnych imperiach, ponieważ członkowie ówczesnych wspólnot nie byli obywatelami (a w każdym razie nie byli obywatelami w mocnym sensie tego terminu); dlatego tradycyjni przywódcy plemion tubylczych mogą powoływać się dzisiaj na traktaty z epoki imperialnej. Dzisiejsi autochtoni są jednak obywatelami kanadyjskimi, a prerogatywy ich wspólnot są ograniczone nadrzędnymi prawami kanadyjskiego państwa – na przykład uchwaloną w 1982 roku Kartą Praw i Swobód. Konstytucyjne prawa narzucają ograniczenia każdej zbiorowości; ich celem jest wzmocnienie jednostki i dlatego z konieczności wystawiają na ryzyko zbiorowy (tu plemienny) sposób życia.

Kultura ludności tubylczej jest tolerowana jako kultura pewnej odrębnej wspólnoty czy zbioru wspólnot, których przetrwanie pozostaje tylko otwartą możliwością: nic nie może tego zagwarantować. Są one usankcjonowane prawnie, mają uznawane

przez państwo instytucje, prawowitych przywódców i dostępne im środki materialne. Wszystko to
zwiększa ich szanse przetrwania, chociaż nie stanowi skutecznej zapory przed alienacją i ucieczką
jednostek. Położenie ludności tubylczej różni się zatem od sytuacji Żydów, baptystów, Litwinów czy jakiejkolwiek innej wspólnoty religijnej lub imigranckiej, ponieważ żadna z nich nie jest w taki sposób
usankcjonowana prawnie czy uznawana przez państwo. Jako grupy, które padły ofiarą podboju i długo
podlegały rządom najeźdźców, plemiona tubylcze
otrzymały, i powinny były otrzymać, znacznie ob-
szerniejszą siedzibę prawną i polityczną, aby organizować swoje życie wspólnotowe i wyrażać swą
prastarą kulturę. Ale każda siedziba ma drzwi i okna;
nie może być zamknięta przed szerszym otoczeniem
społecznym, jeżeli jego mieszkańcy są również
obywatelami. Każdy z nich może podjąć decyzję
o opuszczeniu wspólnoty i życiu poza nią albo prowadzić wewnątrz niej agitację przeciw jej usankcjo-
nowanym przywódcom i praktykom – podobnie jak
czynią to Żydzi, baptyści i Litwini. Tubylcze nacje
są tolerowane jako narody, ale ich członkowie są
jednocześnie tolerowani jako jednostki zdolne ko-
rygować lub odrzucać swój narodowy sposób życia.
Te dwie formy tolerancji koegzystują ze sobą, nawet
jeśli szczegóły tej koegzystencji pozostają do dopra-
cowania, a jej długofalowe perspektywy są ciągle
niepewne.

Wspólnota Europejska

W moim przekonaniu Wspólnota Europejska stanowi przykład związku państw narodowych, który nie ma charakteru imperium ani państwa związkowego; jest czymś różnym od obu tych form ustrojowych i prawdopodobnie mamy tu do czynienia z czymś zupełnie nowym w skali światowej. Ponieważ Wspólnota Europejska nie osiągnęła jeszcze ostatecznego kształtu, a jej regulacje ustrojowe są ciągle dyskutowane i niepewne, moje wywody będą opierać się głównie na spekulacjach. Jaką postać może przyjąć tolerancja w tym hipotetycznym związku?

Choć jej brukselskich urzędników oskarża się często o imperialne ambicje, Wspólnota Europejska nie jest imperium dlatego, że państwa wchodzące w jej skład zrzekły się tylko części swych suwerennych uprawnień. Niezależnie od tego, jaką ich część przekażą ostatecznie Wspólnocie, prerogatywy, które zachowają, będą znacznie wykraczały poza zakres autonomii. Wspólnota nie jest także państwem związkowym – ze względu na liczbę państw, które w niej uczestniczą, i, raz jeszcze, ze względu na ich niemal pełną suwerenność. Dlaczego więc nie jest po prostu sojuszem suwerennych państw zawartym w celu realizacji jakiegoś konkretnego celu? Bogata historia sojuszów politycznych nie zna jednak przypadku tak wielostronnej koordynacji ekonomicznej jak ta, do której dążą członkowie Wspólnoty. Jest też inny powód, dla którego model ów nie znajduje tu zastosowania – Karta Społeczna podpisana przez wszystkie państwa członkowskie. W swej aktualnej postaci określone w niej wymogi są stosunkowo słabe, chociaż obejmują rozporządzenia dotyczące minimalnego poziomu płac i tygodniowego czasu pracy, a także ustanawiają „równość kobiet i mężczyzn pod względem możliwości zatrudnienia na rynku pracy i traktowania w miejscu pracy"[10]. Warunki te różnią się nieco od podobnych wymogów sformułowanych w deklaracji praw ogłoszonej przez Organizację Narodów Zjednoczonych: nie ograniczają się do upomnień, lecz mają być faktycznie egzekwowane, chociaż mechanizm owego egzekwowania nie jest jeszcze jasny.

W rzeczywistości istnieje już europejska konwencja praw człowieka, której postanowienia można egzekwować na drodze sądowej od lat sześćdziesiątych XX wieku, a obecnie dołączono do niej jeszcze tę Europejską Kartę Społeczną. Spróbujmy sobie teraz wyobrazić połączenie tych dwóch form regulacji prawnych i rozszerzenie ich do pełnego zbioru praw negatywnych i pozytywnych (nie będę próbował w tym miejscu rozważać jego konkretnej

---

[10] Martin Holland, *European Integration: From Community to Union* (Pinter Publishers, London 1994), s. 156. Zob. także rozważania o „nowych prawach socjalnych w Europie" w rozdziale 8 książki Maurice'a Roche'a, *Rethinking Citizenship: Welfare, Ideology and Change in Modern Society* (Polity Press, Cambridge 1992), rozdział 8.

treści): otóż istniałyby wówczas – być może istnieją już obecnie – praktyki tolerowane w państwach
członkowskich, charakterystyczne składniki ich
kultury politycznej lub anachronicznego porządku
społecznego i ekonomicznego (takie jak nierówność płci), które nie byłyby tolerowane w nowej
Wspólnocie. Jak się przekonamy, pod pewnymi
względami Wspólnota Europejska wymaga od
swoich członków większej tolerancji i okazywania
jej w inny sposób, niż działo się to w przeszłości.
Ów statut Wspólnoty, zgodnie z moimi wyobraże-
niami, ustanawiałby jednak pewien zbiór restrykcji,
a ponieważ zostałyby one wyrażone w kategoriach
prawnych, uzyskałyby zapewne nadrzędną pozycję
wobec wszystkich innych reguł i praktyk. Nadrzęd-
ność tych restrykcji miałaby pewne doniosłe konsekwencje: przesunęłaby centrum zainteresowania
debaty politycznej z ciał prawodawczych do sądów
i parasądowniczych instancji administracji państwowej (jak dzieje się to w pewnej mierze w Stanach Zjednoczonych), zwiększyła liczbę procesów
sądowych i, co najważniejsze, wzmocniła pozycję
jednostek wobec państw narodowych oraz grup etnicznych i religijnych, do których należą. Podczas
gdy dawne imperia tolerowały różne kultury prawne, nowa Wspólnota zaprowadzi przypuszczalnie (dopiero za jakiś czas, i to pod warunkiem, że
będzie się nadal rozwijać) jeden, powszechny ład
prawny.

Jednocześnie każde z państw członkowskich stanie się w dwojakim sensie bardziej heterogeniczne, niż było w przeszłości. Po pierwsze, Wspólnota uznaje każdy z regionów istniejących w granicach państw za pełnoprawny przedmiot polityki społecznej i ekonomicznej – i nie można wykluczyć, że pewnego dnia uzna również regiony za podmioty polityczne. Wzmocniłoby to z pewnością pozycję mniejszości zamieszkujących zwarte terytoria, takich jak Szkoci czy Baskowie (ta perspektywa już rozbudziła ich aspiracje). Te długofalowe następstwa regionalizmu może jednak zrównoważyć drugie źródło nowych form heterogeniczności – imigracja – która będzie prowadziła do rozpraszania regionalnych skupisk etnicznych. „Obywatele" Wspólnoty już teraz przekraczają granice państw znacznie swobodniej, niż czynili to w przeszłości, i przewożą ze sobą nie tylko wszystkie przysługujące im od niedawna również poza terytorium macierzystym prawa, ale także swoją starą kulturę i religię. Nacje większościowe odkryją więc wkrótce, że żyją obok nich mniejszości, do których nie są przyzwyczajone, a zakorzenione mniejszości narodowe staną niebawem przed wyzwaniami, jakie stwarza obecność nowych grup mniejszościowych hołdujących nowym poglądom na regulacje ustrojowe wymagane przez tolerancję. W miarę narastania procesów migracyjnych Wspólnota jako całość będzie się upodabniała coraz bardziej do społeczeństwa imigranckiego o znacznej liczbie geograficznie rozproszonych mniejszości, które nie odczuwają silnego związku z żadnym konkretnym terytorium.

Oczywiście państwa członkowskie Wspólnoty pozostaną państwami narodowymi; nikt nie oczekuje przecież, że Holendrzy czy Duńczycy przyjmą tylu imigrantów, iż staną się jedną z grup mniejszościowych we własnym kraju. Niemniej jednak będą musiały tolerować obcych przybyszy (a nie każdy z nich będzie „Europejczykiem", ponieważ imigrant naturalizowany w jednym państwie członkowskim ma prawo przebywać we wszystkich pozostałych), których nie naturalizowali. Będą musiały pogodzić się z nimi, a także z ich praktykami kulturowymi i religijnymi, zasadami życia rodzinnego i wartościami politycznymi – które będą, rzecz jasna, podlegać wymogom Karty Społecznej (zdolnej w zależności od swego ostatecznego zakresu i metod jej egzekwowania stworzyć – lub nie – jakąś wspólną formę rządów tolerancji).

Podobnie obcy przybysze będą oswajać się z kulturą polityczną ich nowego kraju. Różne grupy będą się niewątpliwie domagały różnych regulacji ustrojowych; pomimo silnych tendencji indywidualistycznych, które pojawiają się we wszystkich społecznościach imigranckich, niektóre z nich będą z pewnością domagały się regulacji korporacjonistycznych. Ale takie regulacje nie będą zapewne możliwe do przyjęcia dla państw udzielających im

gościny, z wyjątkiem ich mocno zmodyfikowanej
wersji, dostosowanej do podstawowego modelu
dobrowolnego stowarzyszenia w państwie narodowym. W obronie korporacjonizmu nie będą również
interweniowali urzędnicy z Brukseli ani sędziowie
ze Strasburga; w najlepszym razie będą egzekwować prawa jednostek. Trudno rozstrzygnąć, jaki
model może się ostatecznie wyłonić z tego procesu: jednostki będą identyfikowały się z grupami etnicznymi i religijnymi, żądając, by państwo uznało
w jakiś sposób ich istnienie; ale tego rodzaju grupy
nie są trwałe i również będą podlegać wewnętrznym
przeobrażeniom, ponieważ imigranci przystosowują
się do nowego otoczenia, asymilują się, zawierają
mieszane małżeństwa itd. Wspólnota Europejska
wniesie zapewne w życie swoich państw członkowskich wszystkie blaski i cienie wielokulturowości.

ROZDZIAŁ 4

KWESTIE PRAKTYCZNE

Władza

W dyskursie potocznym mówi się często, że tolerancja jest zawsze relacją między dwiema nierównymi
stronami, w której tolerowane grupy lub jednostki
są skazane na gorsze położenie. Tolerowanie kogoś
jest oznaką siły; bycie tolerowanym to zaakcepto-
wanie własnej słabości[1]. Powinniśmy zatem dążyć
do stworzenia jakiejś lepszej formuły, czegoś, co
wykracza poza wymogi tolerancji – jak wzajemny
szacunek. Biorąc jednak pod uwagę mapę pięciu
form rządów, którą nakreśliliśmy, rzecz wydaje się
bardziej skomplikowana: wzajemny szacunek jest
jedną z postaw sprzyjających tolerancji – zapewne
najbardziej atrakcyjną spośród nich, choć niekoniec-
niecznie najłatwiejszą do osiągnięcia i zachowującą

---

[1] Zob. Stephen L. Carter, *The Culture of Disbelief* (Basic
Books, New York 1993), s. 96: „język tolerancji jest językiem
siły".

stabilność przez dłuższy czas. W niektórych przypadkach tolerancja działa w istocie najskuteczniej,
gdy relacje politycznej dominacji i podporządkowania są jasno określone i powszechnie uznawane. Jest
to szczególnie oczywiste w przypadku społeczności
międzynarodowej, gdzie brak przejrzystych relacji
władzy należy do głównych przyczyn zbrojnych
konfliktów. Twierdzenie to zachowuje zapewne ważność także w odniesieniu do niektórych form rządów
wewnętrznych, takich jak państwo związkowe, gdzie
brak pewności co do względnej siły różnych grup
może prowadzić do zaburzeń politycznych, a nawet
do wojen domowych. Natomiast w społeczeństwach
imigranckich ta sama niepewność wywiera odwrot-
ny wpływ: kiedy ludzie nie mają pewności, jaką
pozycję zajmują względem innych, tolerancja jest
bezsprzecznie najbardziej racjonalną strategią postępowania. Ale nawet wtedy notorycznie pojawiają
się pytania dotyczące władzy politycznej – choć nie
przyjmują zapewne postaci jednego fundamentalne-
go pytania: kto kim rządzi? W zamian nasuwać się
będą ustawicznie różne pytania cząstkowe: Kto jest
silniejszy przez większość czasu? Kto jest bardziej
widoczny w życiu publicznym? Kto otrzymuje więcej środków materialnych? Pytania te (a także tamto
fundamentalne pytanie) trudno zrozumieć w oderwaniu od zagadnień, które rozważę w dalszej części tego rozdziału, zagadnień klasy, płci, religii itd.,
ale można je również zadawać niezależnie.

W imperiach wielonarodowych władza znajduje się w rękach biurokracji centralnej. Wszystkie grupy włączone do takiego organizmu państwowego są nakłaniane do uważania się za równie bezsilne, a tym samym niezdolne do wywierania przymusu czy prześladowania swoich sąsiadów. Każda próba wywierania przymusu na szczeblu lokalnym spowoduje odwołania do centrum. Właśnie dlatego np. Grecy i Turcy mogli żyć obok siebie w pokoju pod rządami osmańskimi. Czy darzyli się także wzajemnym szacunkiem? Niektórzy z nich zajmowali przypuszczalnie taką postawę; inni – nie. Ale charakter relacji między tymi grupami nie zależał od wzajemnego szacunku, lecz od wspólnego podporządkowania imperialnej władzy. Kiedy doświadczenie podporządkowania nie staje się w równej mierze udziałem wszystkich grup, maleją szanse na tolerancję wśród nich. Jeśli jedna z grup ma szczególnie bliskie więzi z imperialnym centrum i potrafi tworzyć sojusze z jego lokalnymi przedstawicielami, to będzie często usiłowała zdominować pozostałe – jak czynili to Grecy w rzymskiej Aleksandrii. W wielonarodowym imperium władza osiąga największe sukcesy w krzewieniu tolerancji, gdy jest odległa, neutralna i wszechobejmująca.

W takim stanie rzeczy władza imperialna przynosi, rzecz jasna, największy pożytek lokalnym mniejszościom, których członkowie starają się w konsekwencji być najbardziej lojalnymi poplecznikami

imperium. Przywódcy ruchów narodowowyzwoleń-
czych wyrażali często (i wykorzystywali) oburzenie
wobec takiej postawy tych mniejszości, uznawanych
teraz za kolaborantów współdziałających z imperia-
listami. Przejście prowincji imperium w niezawisłe państwo narodowe stanowi moment krytyczny
w dziejach tolerancji. Mniejszości narodowe stają się wówczas przedmiotem ataków i prześladowań; często zmusza się je do opuszczenia kraju –
jak to się stało z indyjskimi kupcami i rzemieślni-
kami w Ugandzie wkrótce po wycofaniu się Brytyjczyków (w ślad za tymi ostatnimi wyruszyli oni do
Wielkiej Brytanii, przenosząc niejako imperium na
grunt wewnętrzny i tworząc nową formę odmienności w imperialnym centrum). Tego rodzaju grupy potrafią czasami przekształcić się w tolerowane
mniejszości, ale droga do tego celu jest zawsze na-
jeżona trudnościami i nawet gdy zostaje on w końcu
osiągnięty, to w ogólnym bilansie zysków i strat następuje zapewne spadek bezpieczeństwa i pogorsze-
nie się prawnego statusu mniejszości. Jest to cena,
jaką trzeba stale płacić w ramach procesu wyzwala-
nia się narodu spod obcego panowania, której można
jednak uniknąć, a przynajmniej można ją zminima-
lizować, gdy nowe państwo narodowe jest liberalne
i demokratyczne.

Państwo związkowe wymaga prawdopodobnie
czegoś w rodzaju wzajemnego szacunku – przynajmniej między przywódcami różnych grup – po-

nieważ grupy te muszą nie tylko koegzystować ze sobą, ale również wynegocjować warunki swej koegzystencji. Podobnie jak dyplomaci w społeczności międzynarodowej, negocjatorzy reprezentujący te grupy muszą uwzględniać interesy drugiej strony. Kiedy nie mogą lub nie chcą tego robić, jak działo się to na Cyprze po wycofaniu się Brytyjczyków, dochodzi do rozpadu państwa związkowego. Ale poszczególni członkowie wspólnot nie muszą zawierać ze sobą kompromisów z wyjątkiem sytuacji, gdy spotykają się i przeprowadzają transakcje na placu targowym. W istocie państwo związkowe napotyka przypuszczalnie najmniejsze trudności, gdy owe wspólnoty nie mają ze sobą wiele do czynienia, gdy każda z nich jest stosunkowo samowystarczalna, a ich aktywność jest skierowana do wewnątrz. Władza dochodzi wówczas do głosu – po ustaleniu liczebności wspólnot i uwzględnieniu ich zasobów materialnych – dopiero na szczeblu federalnym, gdzie przywódcy różnych wspólnot spierają się o sposób przydzielania środków budżetowych i podział stanowisk w służbie państwowej.

W państwach narodowych władza znajduje się w rękach nacji większościowej. Nie musi stanowić to jednak przeszkody uniemożliwiającej bliskie kontakty między jednostkami; w rzeczywistości tego rodzaju kontakty mogą się łatwo rozwijać w liberalno-demokratycznych państwach narodowych.

Z racji swej liczebności grupy mniejszościowe nie
mają jednak równorzędnego statusu, a ich postula-
ty dotyczące sfery kultury publicznej będą najczęściej odrzucane w demokratycznym głosowaniu.
Większość toleruje odmienność kulturową w bardzo podobny sposób, jak rząd toleruje opozycję
polityczną – ustanawiając porządek praw i swobód
obywatelskich i tworząc niezawisłe sądownictwo,
które ma zagwarantować ich skuteczne egzekwo-
wanie. Grupy mniejszościowe tworzą wówczas
własne organizacje, zwołują zgromadzenia, zbie-
rają fundusze, udzielają pomocy swoim członkom
oraz wydają czasopisma i książki; utrzymują również wszelkiego rodzaju instytucje, na które mogą
sobie pozwolić i które uważają za potrzebne. Im
bardziej intensywne jest życie wewnętrzne tych
grup i im bardziej ich kultura różni się od kultury
większości, tym mniej prawdopodobne jest to, że
będą one wyrażać oburzenie z powodu braku odzwierciedlenia ich wierzeń i praktyk w sferze publicznej. Jeśli natomiast grupy mniejszościowe są
słabe, ich poszczególni członkowie będą przyjmo-
wali stopniowo wierzenia i praktyki większości –
przynajmniej w sferze publicznej, a często także
w życiu prywatnym. Sytuacje mieszczące się pomiędzy tymi dwiema skrajnymi opcjami będą ro-
dziły napięcia i prowadziły do nieustannych sporów o symbolikę życia publicznego. Przypadek
współczesnej Francji, który scharakteryzowałem

w rozdziale 3, dostarcza wymownych świadectw tej ostatniej możliwości.

Z podobną sytuacją mamy również do czynienia w początkowym stadium dziejów społeczeństwa imigranckiego, gdy pierwsi imigranci dążą do stworzenia własnego państwa narodowego. Kolejne fale imigracji przyczyniają się do powstania czegoś, co zasadniczo jest państwem neutralnym, demokratyczną wersją rządów imperialnej biurokracji. Państwo to przejmuje i zachowuje – nikt nie jest w stanie przewidzieć, jak długo – niektóre praktyczne regulacje i część symboliki swego bezpośredniego poprzednika. Każda nowa grupa imigrancka musi więc przystosowywać się do języka i kultury pierwszych imigrantów – choć będzie je także stopniowo przeobrażać. Samo państwo zastrzega sobie jednak prawo do pozostawania ponad kulturowym fermentem, jaki przyniosą te przeobrażenia. Wszystkie działania państwa koncentrują się na jednostkach, dzięki czemu tworzy ono, a raczej może przyczynić się z czasem do stworzenia pewnego rodzaju społeczeństwa otwartego, w którym, jak już wskazywałem, każdy jest uwikłany w praktykę tolerancji. Przypuszczalnie można wówczas uczynić szumnie zapowiadany krok, który ma zaprowadzić nas „dalej niż tolerancja". Pozostaje wszakże niejasne, czy po tym kroku istotne różnice grupowe będą nadal respektowane.

Klasa

Nietolerancja przyjmuje zwykle najbardziej dotkliwe formy, gdy różnice kulturowe, etniczne lub rasowe pokrywają się z różnicami klasowymi – gdy członkowie grup mniejszościowych są zarazem uzależnieni ekonomicznie od większości. Tego rodzaju uzależnienie pojawia się najrzadziej w wielonarodowych imperiach, gdzie każda nacja ma pełną strukturę klas społecznych. W państwach wielonarodowych tworzą się zwykle równoległe hierarchie, nawet gdy poszczególne narody nie mają jednakowego udziału w zamożności imperium. Społeczność międzynarodowa charakteryzuje się taką samą równoległością hierarchii i dlatego nierówność narodów nie stwarza problemów tolerancji (jakiekolwiek inne problemy by rodziła). O kształcie wzajemnych stosunków elit państwowych przesądzają wyłącznie różnice sił, a nie kultur; elity państw dominujących szybko uczą się zresztą respektować kultury uważane wcześniej za „niższe", gdy ich polityczni przywódcy pojawiają się nagle na forum rady narodów, powiedzmy, z nowymi kapitałami lub nową bronią.

W idealnym wypadku państwo związkowe przybiera taką samą postać – poszczególne wspólnoty, pomimo wewnętrznie zróżnicowanego statusu ich członków, są mniej więcej równorzędnymi partnerami w państwie jako całości. Często dzieje się jednak tak, że wspólnota odmienna kulturowo jest także podporządkowana ekonomicznie. Libańscy szyici stanowią dobry przykład nie tylko tej dwojakiej odmienności, ale również pozbawienia praw politycznych, które bywa najczęściej jej konsekwencją. Ten proces działa zarazem w odwrotnym kierunku: gdy urzędnicy państwowi dyskryminują członków takiej grupy, wrogość, z jaką ci spotykają się we wszystkich innych dziedzinach życia społecznego, jest legitymizowana i intensyfikowana. Najgorsze miejsca pracy, najgorsze mieszkania, najgorsze szkoły: oto ich wspólny los. Tworzą oni klasę niższą, wyodrębnioną według kryteriów etnicznych lub religijnych. W pewnym minimalnym stopniu korzystają z przywilejów tolerancji – mogą np. mieć własne miejsca kultu religijnego – ale są wyłącznie jej biernymi odbiorcami. Równość w państwie związkowym, a także wzajemny szacunek, którym ma ona zaowocować, przekreśla nierówność klasowa.

Mniejszości narodowe w państwach narodowych znajdują się czasem w bardzo podobnym położeniu, i niejednokrotnie z tych samych powodów. Niezależnie od tego, czy ten łańcuch przyczynowy bierze początek od jakiegoś kulturowego piętna lub od ekonomicznej i politycznej słabości, obejmuje on z reguły wszystkie te trzy zjawiska. Może się jednak zdarzyć, że narodowe mniejszości, pozbawione większej siły politycznej, jak np. Chińczycy na Jawie, mają mocną pozycję ekonomiczną (choć nigdy tak mocną, jak sugerują to demagodzy próbujący mobilizować przeciw nim większość). Wycofujące się imperia pozostawiały często po sobie dobrze prosperujące mniejszości, którym groziła nietolerancja ze strony nowych władców państw narodowych. Ta nietolerancja mogła przyjmować skrajne formy – jak tego dowodzi przykład indyjskich osadników w Ugandzie. Widoczne oznaki zamożności niechybnie stworzą zagrożenie dla mniejszości narodowej, zwłaszcza nowej. Natomiast niewidoczne ubóstwo stwarza mniejsze niebezpieczeństwo, ale przysparza więcej cierpień, sprzyjając skrajnym przejawom braku poszanowania i pewnego rodzaju automatycznej, bezrefleksyjnej dyskryminacji. Pomyślmy o „niewidocznych" ludziach z grup mniejszościowych (albo z niższych kast) dających społeczeństwu zamiataczy ulic, pomywaczy, sanitariuszy itd. – ludziach, których obecność przyjmuje się po prostu za oczywistość i którym rzadko spoglądają w oczy lub z którymi nawiązują rozmowę członkowie większości.

Społeczeństwa imigranckie obejmują tego rodzaju grupy – np. najnowszych imigrantów z uboższych krajów, którzy przywożą ze sobą swoje ubóstwo. Jednak chroniczne ubóstwo i piętno kulturowe są rzadziej udziałem imigrantów (w końcu paradygmatycznych członków społeczeństwa imigranckiego) niż podbitych ludów tubylczych oraz grup sprowadzonych przemocą do nowego kraju, takich jak czarni niewolnicy i ich potomkowie w Amerykach.

Najbardziej skrajna postać zależności politycznej idzie tutaj w parze z najbardziej skrajną formą zależności ekonomicznej, przy czym w obu przypadkach istotną rolę odgrywa nietolerancja rasowa. To połączenie politycznej słabości, ubóstwa i piętna rasowego stwarza niezmiernie kłopotliwe problemy dla formy rządów tolerancji w postaci społeczeństwa imigranckiego. Napiętnowane grupy nie posiadają zazwyczaj środków pozwalających im utrzymywać silne życie wewnętrzne ani nie mogą tym samym funkcjonować w taki sposób jak zorganizowane na korporacyjną modłę wspólnoty religijne pod rządami imperialnymi (chociaż podbite ludy tubylcze uzyskują czasami prawny status takiej wspólnoty) czy narodowe mniejszości zamieszkujące zwarte terytoria. Poszczególni członkowie tych grup również nie mogą osiągnąć indywidualnego sukcesu, podążając śladami wspinających się na wyższe szczeble hierarchii społecznej imigrantów. Tworzą pewną kastę-anomalię u samego spodu systemu klasowego.

Tolerancja jest oczywiście zgodna z nierównością, ilekroć system klasowy jest powielany, mniej lub bardziej podobnie, w każdej z grup. Pogodzenie tolerancji z nierównością przestaje być jednak możliwe, gdy grupy te są zarazem klasami. Grupa etniczna lub religijna, która stanowi lumpenproletariat czy klasę upośledzoną w pewnym społeczeństwie, jest właściwie skazana na rolę przedmiotu skrajnej nietolerancji, która nie przyjmuje, co prawda, postaci krwawych prześladowań czy wydalenia z kraju (członkowie takich grup odgrywają bowiem często pożyteczną rolę ekonomiczną, której nikt inny nie chciałby się podjąć), ale sprowadza się do codziennej dyskryminacji, odrzucenia i poniżenia. Inni ludzie pogodzili się niewątpliwie z ich obecnością, ale nie jest to rezygnacja tego rodzaju, którą można by uznać za tolerancję, ponieważ łączy się zawsze z pragnieniem, aby ich obecność nie była widoczna[2]. Zasadniczo można by nauczyć społeczeństwo szacunku dla ludzi z klasy upośledzonej i ich ról społecznych – a także szerszej tolerancji dla wszelkiego rodzaju ludzi wykonujących najrozmaitsze prace, w tym również najcięższe i najpośledniejsze. W praktyce ani ów specyficzny szacunek, ani szersza tolerancja nie są możliwe, jeśli nie zostanie zerwany związek między klasą a grupą.

Celem przyświecającym akcji afirmatywnej czy „odwrotnej" dyskryminacji w przyjmowaniu studentów na uczelnie, doborze urzędników do służby państwowej i podziale funduszy publicznych jest rozerwanie więzi klasy z grupą. Żadne z tych działań nie ma jednak egalitarnego charakteru w kontekście

---

    [2] Warto sięgnąć w tym kontekście do klasycznej powieści Ralpha Ellisona *Invisible Man* (Random House, New York 1952) [wyd. pol.: *Niewidzialny człowiek*, przeł. Andrzej Jankowski, Dom Wydawniczy „Rebis", Poznań 2004].

poszczególnych jednostek; przesuwają się one tylko ku wyższym lub niższym szczeblom hierarchii społecznej. Akcja afirmatywna ma egalitarny charakter wyłącznie na poziomie grup; jej celem jest ukształtowanie podobnych hierarchii w większości podporządkowanych grup poprzez wytworzenie brakującej klasy wyższej, średniej lub klasy profesjonalistów. Jeśli społeczny profil każdej z takich grup jest mniej więcej podobny, to różnica kulturowa staje się łatwiejsza do zaakceptowania. Twierdzenie to nie dotyczy przypadków ostrych konfliktów narodowościowych, ale wydaje się wiarygodne wszędzie tam, gdzie pluralizm stał się już faktem społecznym, jak dzieje się to w państwach związkowych i społeczeństwach imigranckich. Zarazem doświadczenia Stanów Zjednoczonych pokazują, że niezależnie od długofalowych konsekwencji uprzywilejowywania członków upośledzonych grup, na krótką metę potęguje ono nietolerancję. Wyrządza w istocie krzywdę poszczególnym jednostkom (zazwyczaj członkom drugich w kolejności najbardziej upośledzonych grup) i daje pożywkę resentymentom, które mogą rodzić niebezpieczne postawy polityczne. Może się więc okazać, że poszerzenie zakresu tolerancji w społeczeństwach pluralistycznych wymaga szerzej pojętego egalitaryzmu. Kluczem do sukcesu w tych rządach tolerancji nie może być – albo nie może być wyłącznie – powielenie hierarchii we wszystkich grupach, lecz również

ograniczenie hierarchiczności społeczeństwa jako
całości[3].

Płeć

Kontrowersje dotyczące modelu rodziny, ról płcio-
wych i zachowań seksualnych należą do tworzących
najgłębsze podziały we wszystkich współczesnych
społeczeństwach. Błędem jest sądzić, że tego rodzaju podziały są czymś zupełnie nowym: od tysiącle-
ci toczono spory o poligamię, konkubinat, rytualną
prostytucję, odizolowywanie kobiet, obrzezanie
i homoseksualizm. Kultury i religie odróżniały się
od siebie charakterystycznymi praktykami w tych
dziedzinach – i poddawały również krytyce praktyki „innych". Jednak niemal powszechna dominacja
mężczyzn narzucała ograniczenia co do przedmiotu sporu (i co do jego uczestników). Dziś szeroko
akceptowana idea równości i praw człowieka kwe-

---

[3] Możliwość zapoznania się z analizą przypadku, który
wykracza poza zakres moich rozważań, stwarza czytelnikom
praca Marca Galantera, *Competing Equalities: Law and the
Backward Classes in India* (University of California Press,
Berkeley 1984). Indyjska wersja „kompensacyjnej dyskryminacji" miała służyć przede wszystkim przezwyciężeniu od-
wiecznego porządku opartego na społecznym napiętnowaniu
i nietolerancji. Galanter dowodzi, że wysiłki zmierzające do
stworzenia klasy urzędników państwowych wywodzących się
spośród „niedotykalnych" pozwoliły Indiom częściowo, ale
tylko częściowo, zbliżyć się do tego celu.

stionuje te ograniczenia. Wszystko może stać się obecnie przedmiotem otwartej debaty, a każda kultura i religia podlega nowej, krytycznej obserwacji. Czasem sprzyja to utrwalaniu tolerancji, ale czasem, rzecz jasna, przeciwnie. To właśnie na tym obszarze w kontekście tego, co będę ogólnie nazywał zagadnieniami płci, toczyć się będą przypuszczalnie boje o teoretyczną i praktyczną granicę między tym, co może, a tym, co nie może być tolerowane, i tu zostanie ona wytyczona.

Wielkie imperia wielonarodowe pozostawiały na ogół kwestie płci wspólnotom wchodzącym w ich skład. Uważano, że płeć jest z natury sprawą wewnętrzną; nie wymagała ona, a raczej sądzono, że nie wymaga, współdziałania wszystkich wspólnot. Specyficznych zwyczajów handlowych nie tolerowano na wspólnych placach targowych, ale prawo rodzinne (prawo „prywatne") pozostawiano całkowicie w gestii tradycyjnych autorytetów religijnych lub (męskiej) starszyzny. Od nich również zależały wszelkie praktyki zwyczajowe; imperialni urzędnicy nie byli na ogół skorzy tam ingerować.

Zwróćmy uwagę, z jaką opieszałością Brytyjczycy wprowadzili ostatecznie, w 1829 roku, zakaz obyczaju sati (samospalenie się hinduskiej wdowy na stosie pogrzebowym jej męża) w swoich państwach indyjskich. Przez wiele lat Kompania Wschodnioindyjska, a następnie rząd brytyjski tolerowały te praktyki ze względu na to, co dwudziestowieczny

historyk nazywa „zdeklarowaną intencją respektowania hinduistycznych i muzułmańskich wierzeń
religijnych i dopuszczenia swobody egzekwowania
przepisów religijnych". Nawet władcy muzułmań-
scy, którzy, zdaniem tego samego historyka, nie
okazywali najmniejszego poszanowania dla wierzeń
hinduistycznych, podejmowali tylko sporadyczne,
niezdecydowane próby wykorzenienia tej praktyki[4]. Zakres tolerancji imperialnej rozciąga się tedy
aż do obyczaju sati, co oznacza – biorąc pod uwagę
jego brytyjskie opisy – że jest dość rozległy.

Regulacje ustrojowe państwa związkowego mogą, przynajmniej w teorii, wytworzyć podobną tolerancję, jeśli siły stowarzyszonych wspólnot pozostają bliskie równowagi, a przywódcy jednej z nich są
silnie przywiązani do takiej czy innej zwyczajowej
praktyki. Natomiast państwo narodowe, w którym
z definicji nie występuje równowaga sił, nie będzie tolerowało zwyczajów takich jak sati u żadnej z mniejszości narodowych czy religijnych. Tolerancja o takim zasięgu nie jest również możliwa
w społeczeństwie imigranckim, gdzie każda z grup
stanowi mniejszość w stosunku do wszystkich pozostałych. Przypadek amerykańskich mormonów po-
kazuje, że dewiacyjne praktyki, takie jak poligamia,
nie będą tolerowane nawet wówczas, gdy są wyłącznie wewnętrzną sprawą wspólnoty i gdy dotyczą

---

    [4] Sir Percival Griffiths, *The British Impact on India* (Mac-
Donald, London 1952), s. 222, 224.

„tylko" życia rodzinnego. W tych dwóch ostatnich przypadkach państwo gwarantuje równe prawa obywatelskie wszystkim swoim członkom – również indyjskim wdowom i mormońskim żonom – i egzekwuje jednakowe dla wszystkich regulacje. Nie ma tu sądownictwa wspólnotowego; cały kraj podlega jednej jurysdykcji, w ramach której urzędnicy państwowi są zobowiązani do przerwania obrzędu sati, podobnie jak są zobligowani do przeszkodzenia w próbie samobójstwa, jeśli tylko są w stanie to zrobić. A jeśli do sati ktoś kobietę zmuszał, jak to się często faktycznie zdarzało, urzędnicy muszą traktować ten przymus jako morderstwo; nie usprawiedliwiają go żadne względy religijne ani kulturowe.

Tak w każdym razie wynika z modeli państwa narodowego i społeczeństwa imigranckiego, które tu opisałem. Rzeczywistość jednak czasami odbiega od modelu – jak w przypadku rytualnych praktyk związanych z ciałem kobiety: okaleczenia genitaliów, czy, mówiąc bardziej neutralnie, klitoridektomii i infibulacji. Te dwa zabiegi przeprowadza się powszechnie na niemowlętach i młodych kobietach w wielu krajach afrykańskich, a ponieważ nikt nie wystąpił z propozycją humanitarnej interwencji, która położyłaby kres tym praktykom, można powiedzieć, że społeczność międzynarodowa je toleruje (toleruje na szczeblu państwowym, ale aktywnie zwalcza je kilka organizacji działających w międzynarodowym społeczeństwie obywatelskim). Zabiegi te wykonuje się również w afrykańskich społecznościach imigranckich w Europie i Ameryce Północnej. W Szwecji, Szwajcarii i Wielkiej Brytanii wprowadzono specjalne ustawodawstwo zakazujące tych praktyk, jednak nigdy nie podjęto poważniejszych prób egzekwowania go. We Francji, klasycznym państwie narodowym (które obecnie, jak już się przekonaliśmy, staje się również społeczeństwem imigranckim), szacowano, że w połowie lat osiemdziesiątych około 23 000 dziewcząt znajdowało się w „strefie potencjalnego ryzyka". Nie wiadomo, ile z nich zostało faktycznie poddanych zabiegowi. Odbyło się jednak kilka szeroko nagłośnionych procesów (wytoczonych na podstawie ogólnych przepisów zakazujących okaleczania ciała) kobiet, które wykonywały te zabiegi, i matek okaleczonych dziewcząt. Kobiety zostały skazane, a następnie sąd zawiesił orzeczone wyroki. W rezultacie praktyki te (stan z połowy lat dziewięćdziesiątych XX wieku) spotykają się z publicznym potępieniem, ale w rzeczywistości są nadal tolerowane[5].

Argumenty na rzecz tolerancji odwołują się do „respektowania odmienności kulturowej" – odmienności rozumianej zgodnie z klasycznym modelem państwa narodowego jako konsekwencja wyborów stereotypowych członków pewnej kulturowej

---

[5] Powtarzam tu opinię, którą formułuje Bronwyn Winter w artykule *Women, the Law, and Cultural Relativism in France: The Case of Excision*, „Signs", 19 (lato 1994), s. 939–974.

mniejszości. Dlatego w petycji z 1989 roku przeciw penalizacji tego, co określa się we Francji mianem „obrzezania", czytamy: „Domaganie się penalizacji zwyczaju, który nie zagraża porządkowi republikańskiemu i który w pełni można zakwalifikować do sfery prywatnych wyborów, byłoby przejawem nietolerancji, która może jedynie doprowadzić do większych ludzkich dramatów niż te, którym ma rzekomo zapobiegać, i która jest wyrazem bardzo wąskiej koncepcji demokracji"[6]. Podobnie jak w przypadku obyczaju sati ważne jest, abyśmy właściwie uchwycili sens tego opisu: klitoridektomię i infibulację „należy porównywać [...] nie z usunięciem napletka, lecz z usunięciem penisa"[7], a trudno sobie wyobrazić, aby obrzezanie w takiej postaci można było uznać za domenę prywatnego wyboru. W każdym razie małoletnie dziewczęta nie poddają się tym zabiegom z własnej woli. Sądzić zaś można, że obowiązkiem państwa francuskiego jest ochrona ich praw: niektóre z nich są obywatelkami Francji, a większość z nich będzie matkami jej obywateli. Przebywają one we Francji na stałe, a w przyszłości będą uczestniczyły w życiu społecznym i ekonomicznym tego kraju, i choć wolno im ograniczyć

---

[6] Cytat pochodzi z przytoczonego w tej samej pracy (na s. 951) fragmentu petycji, której wstępną wersję napisała Martine Lefeuvre i którą opublikował Mouvement Anti-Utilitariste dans les Sciences Sociales (MAUSS). Przekład nieznacznie zmodyfikowany.

[7] Tamże, s. 957.

się do życia w zamkniętym kręgu własnej społeczności imigranckiej, to mogą również (jest to jedno z dobrodziejstw, jakie daje życie we Francji) wybrać inny sposób życia. W stosunku do takich jednostek tolerancja nie powinna z pewnością obejmować rytualnego okaleczenia, podobnie jak nie może obejmować rytualnego samobójstwa. Tak skrajną postać odmienności kulturowej można chronić przed ingerencją tylko wówczas, gdy granice między społecznościami są znacznie sztywniejsze od tych, które istnieją bądź mogą istnieć w państwach narodowych i społeczeństwach imigranckich[8].

W innego rodzaju sytuacjach, w których wartości moralne większej społeczności – nacji większościowej bądź koalicji mniejszości – nie są tak bezpośrednio kwestionowane, usprawiedliwienia odmienności religijnej lub kulturowej (i „prywatnych wyborów") mogą być akceptowane, inność – respektowana,

---

[8] Muszę wyraźnie zaznaczyć, że formułując tę argumentację, nie domagam się wcale penalizacji takich praktyk, lecz jedynie jakiejś formy interwencji państwa, która mogłaby położyć im kres. Winter wytacza mocne argumenty przemawiające za koniecznością działań modyfikujących procesy reprodukcji kulturowej: za edukacją dorosłych, poradnictwem medycznym itd. (tamże, s. 966–972). Opracowaniem przedstawiającym analizę innego rodzaju przypadku, którego autor dochodzi do bardzo podobnych wniosków, jest rozprawa Raphaela Cohen--Almagora, *Female Circumcision and Murder for Family Honour among Minorities in Israel*, w: Kirsten E. Schulze, Martin Stokes i Colm Campbell, *Nationalism, Minorities and Diasporas: Identities and Rights in the Middle East* (I.B. Tauris, London 1996), s. 171–187.

a nietypowe praktyki związane ze sferą płci – tolerowane. Dzieje się tak w przypadku zamkniętych lub sekciarskich grup mniejszościowych, takich jak amerykańscy amisze czy chasydzi, którym władze państwowe są czasami skłonne zaoferować (a sądy podjąć się mediacji) takie czy inne kompromisowe regulacje – np. separację chłopców i dziewcząt w autobusach, a nawet w klasach szkolnych.

Państwo nie jest jednak skłonne czynić podobnych koncesji na rzecz większych, silniejszych (i bardziej niebezpiecznych) grup mniejszościowych nawet w sprawach o stosunkowo niewielkim znaczeniu, a przyjęte kompromisy mogą zawsze zostać zakwestionowane przez każdego członka sekty lub grupy, który będzie się domagał respektowania swoich praw obywatelskich. Wyobraźmy sobie wprowadzenie regulacji prawnej (co niewątpliwie powinno nastąpić) zezwalającej muzułmańskim dziewczętom nosić ich tradycyjne nakrycia głowy we francuskich szkołach publicznych[9]. Byłby to pewien kompromis z fundamentalną zasadą państwa narodowego, która uznaje prawo wspólnot imigranckich do (ograniczonej) wielokulturowej sfery publicznej. Laickie tradycje francuskiej edukacji wywierałyby nadal

---

[9] Pomysłowy argument dotyczący tej problematyki przedstawia Anna Elisabetta Galleoti w artykule *Citizenship and Equality: The Place for Toleration*, „Political Theory", 21 (listopad 1993), s. 585–605. Wiele skorzystałem na rozmowach z dr Galleoti o problemach tolerancji we współczesnej Europie.

dominujący wpływ na kalendarz szkolny i programy nauczania. Wyobraźmy sobie jednak, że jakaś grupa muzułmańskich dziewcząt twierdzi, że są zmuszane przez swoje rodziny do noszenia tradycyjnych nakryć głowy i że kompromisowe regulacje prawne ułatwiają rodzinom wywieranie na nie presji. Wtedy kompromis wymagałby renegocjacji. W państwie narodowym i w społeczeństwie imigranckim, w odróżnieniu od wielonarodowego imperium, prawo do ochrony przed tego rodzaju przymusem (i oczywiście przed jeszcze bardziej dotkliwym zmuszaniem do klitoridektomii) musiałoby mieć pierwszeństwo przed „wartościami rodzinnymi" mniejszościowej religii czy kultury.

Dotykamy tu niezmiernie drażliwych kwestii. Podporządkowanie kobiet – przejawiające się w izolacji, zasłanianiu i okaleczaniu ciała – nie służy tylko egzekwowaniu patriarchalnego prawa własności. Ma również pewien związek z reprodukcją kultury i religii, ponieważ kobiety są, jak się powszechnie uważa, ich najbardziej niezawodnymi nosicielkami. Historycznie biorąc, mężczyźni uczestniczyli zwykle w szerszym życiu publicznym, które toczyło się na polach bitew, w sądach, na zgromadzeniach i placach targowych; byli zawsze potencjalnymi nosicielami nowości i asymilacji. Podobnie jak narodowa kultura jest skuteczniej przechowywana w otoczeniu wiejskim niż w mieście, tak też skuteczniej przechowuje się ją w życiu prywatnym czy rodzinnym niż w przestrzeni publicznej – co oznacza, że w typowych przypadkach przechowują ją raczej kobiety niż mężczyźni. Tradycja przekazywana jest w kołysankach nuconych przez matki, w szeptanych przez nie modlitwach, w ubraniach, które szyją, w potrawach, które gotują, oraz w rodzinnych rytuałach i zwyczajach, których uczą dzieci. Co stanie się z przekazywaniem tradycji, gdy kobiety wkroczą do sfery publicznej? To właśnie dlatego, że edukacja stanowi pierwszy krok na drodze do niej, tego rodzaju problemy, jak noszenie tradycyjnych nakryć głowy w szkołach publicznych stają się zarzewiem tak burzliwych sporów.

Tak brzmi argumentacja, gdy dochodzi do konfliktu tradycyjnej kultury lub religii z państwem narodowym albo społeczeństwem imigranckim. „Jesteście zobowiązani do tolerowania naszej wspólnoty i jej praktyk – mówią tradycjonaliści. – Dlatego nie możecie odmawiać nam prawa do sprawowania władzy nad naszymi dziećmi (zwłaszcza płci żeńskiej), bo wówczas nie okazujecie nam tolerancji”. Tolerancja zakłada bowiem prawo do reprodukcji życia wspólnotowego. Prawo to wszakże, jeśli istnieje, wchodzi w konflikt z obywatelskimi prawami jednostki – które obejmowały ongiś tylko mężczyzn i dlatego nie były tak niebezpiecznie, ale obecnie zostały rozszerzone również na kobiety. Wydaje się, że w dłuższej perspektywie ostateczne zwycięstwo praw jednostki jest nieuchronne, ponieważ równość obywateli jest fundamentalną zasadą państwa narodowego i społeczeństwa imigranckiego. Reprodukcja życia wspólnotowego stanie się wówczas bardziej niepewna, a przynajmniej realizowana w procesie dającym mniej jednorodne wyniki. Tradycjonaliści będą się musieli nauczyć tolerancji we własnym ogródku – wobec różnych wersji własnej kultury lub religii. Zanim jednak przyswoją sobie tę lekcję, możemy oczekiwać długiej serii „fundamentalistycznych" reakcji skupionych najczęściej na zagadnieniach płci.

Współczesne boje o aborcję w Stanach Zjednoczonych ukazują charakter tych reakcyjnych działań politycznych. Z punktu widzenia fundamentalistów przedmiotem sporu moralnego jest to, czy społeczeństwo będzie tolerowało zabijanie niemowląt w macicy. Kwestia polityczna wszakże dla obu stron koncentruje się wokół innej kwestii: kto będzie sprawował kontrolę nad siedliskami reprodukcji? Macica jest tylko pierwszym z nich; następnie przyjdzie kolej na dom i szkołę, które jak się przekonaliśmy, już teraz są przedmiotem kontrowersji. Jakie formy odmienności kulturowej będą nadal tolerowane, gdy w sporach tych wygra, co z pewnością nastąpi, autonomia kobiet i równość płci? Jeśli mają rację tradycjonaliści, nic nie zostanie. Jest jednak mało prawdopodobne, by mieli rację. Równość płci będzie przyjmowała rozmaite formy w zależności od czasu i miejsca, a nawet w tym samym czasie i miejscu w różnych ludzkich grupach, a niektóre z tych form okażą się niesprzeczne z odmiennością kulturową. Może się nawet zdarzyć, że mężczyźni będą odgrywali bardziej znaczącą rolę w podtrzymywaniu i reprodukcji kultur, którym przypisują tak wielką wartość.

Religia

Większość ludzi w Stanach Zjednoczonych i ogólnie w świecie zachodnim uważa, że tolerancja religijna jest łatwa. Czytają w gazetach o wojnach religijnych w bliskim sąsiedztwie (w Irlandii i Bośni) albo w krajach odległych (na Środkowym Wschodzie czy w Azji Południowo-Wschodniej) i nie potrafią zrozumieć ich podłoża. Religia w tych krajach musi być zapewne skażona jakąś domieszką czynników etnicznych bądź nacjonalizmu albo musi przyjmować jakieś skrajne, fanatyczne, a tym samym (w naszym rozumieniu) niezwykłe formy. Czyż nie dowiedliśmy bowiem, że wolność wyznania, możliwość tworzenia dobrowolnych stowarzyszeń i neutralność polityczna przyczyniają się do zmniejszenia stawki w grze o różnicę religijną? Czy te fundamentalne zasady amerykańskiego pluralizmu nie skłaniają do wzajemnej wyrozumiałości i nie tworzą sprzyjających warunków dla szczęśliwej koegzystencji? Pozwalamy jednostkom wierzyć w to, w co chcą wierzyć, pozwalamy im zrzeszać się swobodnie ze swymi współwyznawcami i uczęszczać do kościoła, który same sobie wybiorą – albo nie wierzyć w to, w co nie chcą wierzyć, trzymać się z dala od swojego Kościoła itd. Czego chcieć więcej? Czy nie jest to jedyny właściwy model rządów tolerancji?

W rzeczywistości istnieją oczywiście inne, faktyczne lub możliwe, formy rządów tolerancji: system milletów został stworzony pod kątem specyficznych potrzeb wspólnot religijnych, a państwo związkowe łączy zazwyczaj różne grupy religijne i etniczne. Dominującym współcześnie modelem stała się jednak tolerancja wobec indywidualnego wyznawcy, która ukształtowała się po raz pierwszy w siedemnastowiecznej Anglii, a następnie została przeniesiona na drugą stronę Atlantyku. Właśnie dlatego musimy przyjrzeć się bliżej niektórym komplikacjom, jakich przysparza. Chciałbym tu rozważyć dwa problemy o doniosłym znaczeniu historycznym i istotnych implikacjach dla współczesności: po pierwsze, utrzymywanie się na obrzeżach państw narodowych i społeczeństw imigranckich grup religijnych, które domagają się raczej uznania swych praw grupowych niż praw swoich jednostkowych członków, i po wtóre, uporczywość żądań tolerancji i nietolerancji „religijnej", która wykracza poza swobodę stowarzyszania się i sprawowania kultu religijnego, obejmując szeroki wachlarz innych praktyk społecznych.

Jednym z powodów, dla których tolerancja nie staje się źródłem poważniejszych trudności w takich krajach jak Stany Zjednoczone, jest to, że Kościoły i kongregacje religijne, tworzone przez jednostki, są przeważnie, mimo dzielących je różnic teologicznych, bardzo do siebie podobne. Siedemnastowieczna tolerancja polegała przede wszystkim na wzajemnej adaptacji protestantów. Natomiast w Stanach Zjednoczonych, po początkowych próbach utworzenia „świętej wspólnoty" w Massachusetts, rozrost tolerancyjnego ustroju prowadził do protestantyzacji grup, które znalazły się w jego zasięgu. Amerykańscy katolicy i Żydzi coraz mniej przypominali katolików i Żydów w innych krajach: kontrola wspólnoty nad jej członkami słabła, duchowni przemawiali mniej apodyktycznie, jednostki potwierdzały swą niezależność religijną, odchodziły od wspólnot i zawierały mieszane małżeństwa. Tendencja do mnożenia się grup drogą kolejnych podziałów, dobrze znana z początków reformacji, stała się charakterystyczną cechą całego amerykańskiego życia religijnego. Tolerancja akomodowała różnice, ale wytworzyła również u tych różnorodnych grup pewien wzorzec adaptacji do modelu protestanckiego, który czynił ich koegzystencję łatwiejszą, niż byłoby to możliwe w innych warunkach.

Niektóre grupy stawiały jednak opór – jak protestanckie sekty, które z determinacją starały się uniknąć „dysydencji niezgody" (podłoża, by tak rzec, z którego wyrosły), i ortodoksyjne frakcje w łonie tradycyjnych wspólnot religijnych. Będę się tu nadal odwoływał do przykładów, o których już wspominałem: amerykańskich amiszów i chasydów. Rządy tolerancji akomodowały również te grupy, choć tylko marginalnie. Pozwoliły im na izolację i zawierały z nimi kompromisy nawet w kwestiach tak kluczowych jak szkolnictwo publiczne. Przez długi czas amisze mogli np. kształcić swoje dzieci w domu, a kiedy w końcu zażądano – co uczyniły najpierw władze stanu Pensylwania, a następnie Sąd Najwyższy (w związku ze sprawą Wisconsin) – aby posyłali dzieci do szkół państwowych, pozwolono im zabierać je ze szkoły w młodszym wieku, niż przewiduje to amerykańskie prawo[10]. Zasadniczo przedmiotem tolerancji był tu szereg indywidualnych decyzji podejmowanych przez kolejne generacje o przystąpieniu do kongregacji amiszów i sprawowaniu praktyk religijnych zgodnie z ich zasadami. W praktyce przedmiotem tym była, i pozostaje nadal, wspólnota amiszów jako całość i jej bezwzględna władza nad swymi dziećmi (która została tylko częściowo zła-

---

[10] Mocne argumenty (według mnie zbyt mocne) przeciwko tym kompromisowym regulacjom wysuwa Ian Shapiro w książce *Democracy's Place* (Cornell University Press, Ithaca, NY 1996), w rozdziale 6 pt. *Democratic Autonomy and Religious Freedom: A Critique of Wisconsin v. Yoder* (współautorem tego rozdziału jest Richard Arneson), a także Amy Gutmann w artykule *Civil Education and Social Diversity*, „Ethics", 105 (kwiecień 1995), s. 557–579.

godzona przez edukację w szkołach publicznych). W imię (tak pojętej) tolerancji godzimy się na to, by dzieci amiszów otrzymywały mniejszą porcję edukacji w zakresie praw i obowiązków obywatelskich od tej, jakiej wymaga się od wszystkich amerykańskich dzieci. Te regulacje prawne usprawiedliwia po części marginalność społeczności amiszów, a po części ich zgoda na marginalizację: głębokie pragnienie, by żyć wyłącznie na marginesie społeczności amerykańskiej i nie szukać żadnych wpływów poza nim. Inne, podobnie marginalne sekty religijne zachowały podobną władzę nad swymi dziećmi, która na ogół nie jest kwestionowana przez państwo liberalne.

Najbardziej interesującym aspektem wczesnych form amerykańskiej tolerancji było zwolnienie z obowiązku służby wojskowej członków niektórych wyznań protestanckich, znanych z pacyfistycznych poglądów[11]. Współcześnie odmowa służby wojskowej ze względu na nakaz sumienia należy do praw jednostki, ale znakiem przekonań uniemożliwiających odbycie służby wojskowej, który władze polityczne najłatwiej uznają, jest przynależność do tych wyznań. W pierwotnej wersji jednak odmowa służby wojskowej stanowiła *de facto* prawo grupowe. Istotnie, postawa sumienia wobec szerokiego

---

[11] Zob. wybór tekstów, mów i traktatów prawniczych w: Lillian Schlissel (red.), *Conscience in America* (E.P. Dutton, New York 1968).

zakresu różnorodnych praktyk społecznych – jak odmowa składania przysiąg, zasiadania w ławach przysięgłych, posyłania dzieci do szkół publicznych, płacenia podatków, a także żądanie prawa do poligamicznych małżeństw, składania ofiar zwierzęcych, rytualnego zażywania narkotyków itd. – zyskują, nawet współcześnie, niejakie podstawy prawne właśnie dlatego, że są to praktyki religijne, składniki pewnego zbiorowego sposobu życia. Roszczenia te nie miałyby najmniejszych podstaw prawnych, gdyby wysuwano je wyłącznie na podstawie przekonań jednostek, nawet gdyby jednostki te twierdziły stanowczo, że ich zapatrywania na to, co powinny, a czego nie powinny robić, opierają się na współwiedzy, kon-scjencji [*con-science*], którą każda z nich dzieli ze swoim Bogiem.

Toleruje się praktyki i zakazy mniejszości religijnych, poza tworzeniem stowarzyszeń i sprawowaniem kultu religijnego, w zależności od tego, na ile są widoczne czy narzucające się, a także w zależności od stopnia, w jakim mogą wywoływać oburzenie większości. W państwach narodowych i w społeczeństwach imigranckich wprowadzono w tej dziedzinie całą mnogość udogodnień praktycznych. Ktoś informujący władze państwa, że jego religia każe mu odbywać takie czy inne praktyki, może uzyskać pozwolenie na ich uprawianie, nawet gdy nie otrzymuje go nikt inny, zwłaszcza jeżeli będzie to robił dyskretnie. Przywódcy wspólnot zapewniający przedstawicieli państwa, że ich oparta na przymusie władza jest nieodzowna do przetrwania wspólnoty, mogą uzyskać zgodę na sprawowanie tej władzy, poddanej pewnym liberalnym ograniczeniom. Istnieje jednak stała, choć tylko sporadycznie przybierająca na sile presja na rzecz modelu indywidualistycznego: wspólnoty pojętej jako dobrowolne zgromadzenie – z otwartym wejściem i wyjściem, z ograniczonym prawem i niewielką możliwością kształtowania codziennego życia swoich uczestników.

Zarazem te rządy tolerancji znajdują się obecnie w Stanach Zjednoczonych pod silną presją pewnych grup (chrześcijańskiej) większości, które nie występują przeciwko wolności zgromadzeń i kultu, ale obawiają się całkowitej utraty kontroli społecznej. Członkowie tych grup gotowi są tolerować religie mniejszościowe (są, tym samym, obrońcami wolności religijnej), ale nie tolerują wolności osobistej poza miejscami sprawowania kultu religijnego. O ile sekciarskie wspólnoty dążą do kontrolowania zachowań ludzkich we własnych grupach wyznaniowych, o tyle co bardziej radykalni członkowie religijnych większości starają się uzyskać kontrolę nad zachowaniami każdego człowieka – w imię rzekomo wspólnej (np. judeochrześcijańskiej) tradycji, „wartości rodzinnych" albo ich własnych pewników w kwestii dobrego i złego. Jest to z pewnością przykład nietolerancji religijnej. Oznakę częściowego sukcesu rządów tolerancji stanowi jednak to, że

ostrze tego antagonizmu nie zwróciło się przeciw
konkretnym religiom mniejszościowym, lecz raczej
przeciw atmosferze wolności, którą stwarza ta forma rządów jako całość.

Nie ulega wątpliwości, że tolerancja rozwija się
w takiej atmosferze – a nawet osiąga to, co określiłem wcześniej jako jej najbardziej intensywną
formę – jednak tolerancja religijna nie jest od tych
okoliczności zależna. Rozległe restrykcje w sferze
wolności osobistej, takie jak zakaz aborcji, cenzu-
rowanie książek i czasopism (albo tekstów w cyberprzestrzeni), dyskryminacja homoseksualistów,
niedopuszczanie kobiet do pewnych zawodów itd. –
nawet jeśli są skutkami nietolerancji religijnej, to
dają się doskonale pogodzić z tolerancją religijną, to
znaczy z istnieniem wielu Kościołów i kongregacji,
których członkowie odbywają praktyki religijne na
wiele sposobów. Sprzeczność nie zachodzi między
tolerancją a restrykcjami, lecz tkwi u podstaw samej
idei tolerancji religijnej, ponieważ niemal wszystkie
tolerowane religie dążą do ograniczenia wolności
osobistej, która, przynajmniej dla liberałów, stanowi
fundament tej idei. Większość związków religijnych
powstaje po to, by kontrolować ludzkie zachowania.
Kiedy żądamy od takich związków wyrzeczenia się
tego celu lub rezygnacji ze środków nieodzownych
do jego realizacji, domagamy się przeobrażeń, których ostatecznych wyników nie jesteśmy jeszcze
w stanie przewidzieć.

Oczywiście istnieją już całkowicie dobrowolne wspólnoty religijne, jednak wydaje się, że nie zaspokajają one potrzeb wszystkich ani nawet większości wyznawców. Stąd nawracające fale sekciarskiej, fanatycznej religijności i fundamentalistycznych teologii, które rzucają wyzwanie dominującym rządom tolerancji. Zakładając, że zdołamy stawić czoło tym wyzwaniom (założenie to poczyniłem również w poprzednich podrozdziałach), narzuca się pytanie: co dalej? Jaką trwałość i organizacyjną siłę będzie miała całkowicie dobrowolna wiara?

Edukacja

Szkoły odegrały już istotną rolę w tym eseju – zwłaszcza w rozważaniach o płci i reprodukcji kulturowej. Muszę jednak podjąć w tym miejscu (później zaś w podrozdziale poświęconym religii obywatelskiej) pewną doniosłą kwestię, która wiąże się z reprodukcją samych rządów tolerancji. Czy taki system rządów nie musi uczyć dzieci żyjących w danym społeczeństwie o wartości jego regulacji ustrojowych, o cnotach jego założycieli, bohaterów i aktualnych przywódców? I czy taka edukacja, która ma mniej lub bardziej jednolity charakter, nie będzie wchodzić w konflikt, a przynajmniej konkurować, z procesem przystosowywania się dzieci do życia w różnych wspólnotach kulturowych? Odpowiedzi na oba te pytania są oczywiście twierdzące. Wszystkie rządy muszą propagować własne wartości i cnoty, a tego rodzaju edukacja konkuruje ze wszystkim, czego dzieci uczą się od rodziców lub w swoich wspólnotach. Ale ta rywalizacja jest, lub może być, pożyteczną lekcją (trudności) wzajemnej tolerancji. Nauczyciele państwowi muszą tolerować na przykład pozaszkolną naukę religii, a nauczyciele religii muszą tolerować organizowane przez państwo zajęcia z dziedziny praw i obowiązków obywatelskich, historii politycznej, nauk przyrodniczych i innych przedmiotów świeckich. Dzieci uzyskają przypuszczalnie pewną wiedzę o praktycznym działaniu tolerancji oraz – gdy np. kreacjoniści kwestionują państwowy program nauczania biologii – o napięciach, jakie nieuchronnie jej towarzyszą.

Najskromniejsze wymagania stawiają procesowi edukacji imperia wielonarodowe. Ich historia polityczna, na którą składają się głównie dzieje zaborczych wojen, nie może raczej budzić lojalności u ludów podbitych i dlatego lepiej usunąć ją z państwowego programu nauczania (bardziej prawdopodobne, że pojawi się ona w opowieściach wspólnot o bohaterstwie ich walki obronnej). Częściej uczy się lojalności wobec imperatora przedstawianego jako władca wszystkich ludów. To właśnie on, a nie imperialne państwo jest osią państwowej edukacji, ponieważ to ostatnie ma często wyraźnie narodowy charakter, natomiast indywidualni przywódcy mogą przynajmniej stwarzać wrażenie, że wyrastają ponad swe narodowe pochodzenie. Czasami faktycznie dążą nawet do radykalnej transcendencji, deifikacji, która uwolni ich od jakiejkolwiek partykularnej tożsamości. Niemniej jednak mamy do czynienia z nietolerancją religijną, gdy ubóstwiony imperator domaga się od poddanych czci religijnej – jak owi rzymscy władcy, którzy próbowali wprowadzić swoje posągi do jerozolimskiej świątyni. Szkoła jest lepszym miejscem na umieszczenie wizerunku imperatora, który może dobrotliwie spoglądać z góry na dzieci uczące się jakichkolwiek przedmiotów, w jakimkolwiek języku, pod patronatem którejkolwiek lokalnej społeczności czy wspólnoty.

Państwa związkowe również mogą wprowadzać minimalistyczny program nauczania, który koncentruje się wtedy na często upiększonej historii wspólnotowej koegzystencji i kooperacji oraz realizujących je instytucji. Im dłuższe dzieje tej koegzystencji, tym większe szanse na to, że wspólna tożsamość polityczna zacznie nabierać własnej kulturowej treści – jak to ewidentnie uczyniła tożsamość szwajcarska – i stanie się równorzędną konkurentką dla tożsamości poszczególnych wspólnot. Niemniej jednak przedmiotem nauczania pozostaje, przynajmniej z zasady, historia polityczna, w której każda ze wspólnot ma niekwestionowane, równorzędne miejsce.

Całkiem odmiennie przedstawia się to, rzecz jasna, w państwach narodowych obejmujących narodowe mniejszości, gdzie jedna ze wspólnot jest uprzywilejowana kosztem wszystkich pozostałych. Ta forma rządów jest daleko bardziej scentralizowana niż imperium czy państwo związkowe i dlatego znacznie bardziej (zwłaszcza gdy jest demokratycznie zorganizowana) potrzebuje obywateli – mężczyzn i kobiet, którzy będą lojalni, zaangażowani, kompetentni i niejako obeznani ze stylem życia nacji dominującej. A zatem we francuskich szkołach Arabowie będą uczyli się lojalności wobec państwa francuskiego, zaangażowania we francuskie życie polityczne, znajomości praktyk i form artykulacji francuskiej kultury politycznej oraz wiedzy o francuskiej historii politycznej i instytucjonalnych strukturach państwa. Arabscy rodzice i ich dzieci wydają się na ogół akceptować te edukacyjne cele; swoje przywiązanie do arabskiej czy muzułmańskiej tradycji starają się potwierdzać, jak się już przekonaliśmy, raczej przez symbolikę ubioru niż przez dążenie do zmiany programów nauczania. Wystarcza im, a raczej wydaje się wystarczać to, że mogą podtrzymywać swą kulturę w szkołach niepaństwowych, na religijnych zgromadzeniach i w życiu rodzinnym. Ale francuskie obywatelstwo jest rzeczą brzemienną w konsekwencje wykraczające daleko poza wąsko pojętą sferę polityczną. Przez wiele lat dawało dowody swojej integracyjnej i asymilacyjnej siły i musi jawić się wielu rodzicom, a nawet dzieciom, jako zagrożenie dla ich kultury. Im bardziej takie kraje jak Francja będą przybierać postać (podobną do) społeczeństw imigranckich, tym bardziej przybierał będzie na sile opór wobec takich zagrożeń.

O tym, jakie formy będzie przyjmował ów opór, możemy przekonać się, obserwując współczesne boje o treść programów szkolnych, jakie toczą się w społeczeństwach imigranckich, takich jak Stany Zjednoczone. Dzieci uczą się tutaj, że są indywidualnymi obywatelami pluralistycznego i tolerancyjnego społeczeństwa – społeczeństwa, w którym przedmiotem tolerancji są ich własne wybory przynależności i tożsamości kulturowej. Oczywiście większość z nich ma już określoną tożsamość z racji „wyborów" dokonanych przez ich rodziców lub, jak w przypadku tożsamości rasowej, ze względu na miejsce, jakie zajmują w systemie społecznej dyferencjacji. Jako Amerykanie mają jednak prawo dokonywać dalszych wyborów, a do ich obowiązków należy tolerowanie istniejących tożsamości i dalszych wyborów ich współobywateli. Taka wolność i tolerancja konstytuują to, co możemy nazwać amerykańskim liberalizmem.

Amerykańskie szkoły uczą dzieci ze wszystkich grup etnicznych, religijnych i rasowych, jak być w tym sensie liberalnym, a przeto Amerykaninem – tak jak we francuskich szkołach dzieci uczą się być republikanami, a przeto Francuzami. Amerykański liberalizm zachowuje jednak kulturową neutralność, która we francuskim republikanizmie jest niemożliwa. Ta różnica wydaje się odpowiadać dwóm doktrynom politycznym: republikanizm, zgodnie z naukami Rousseau, wymaga mocnego podłoża kulturowego, aby utrzymać wysoki poziom obywatelskiego zaangażowania; liberalizm, mniej wymagający, może pozostawić więcej miejsca dla życia prywatnego i odmienności kulturowej. Łatwo jednak wyolbrzymić te różnice[12]. Również liberalizm jest samoistną kulturą polityczną, której początki tkwią co najmniej w historii Anglii i protestantyzmu. Konstatacja, że amerykańskie szkoły odzwierciedlają tę historię i nie mogą raczej pozostać wobec niej neutralne, skłoniła niektóre nieprotestanckie i nieangielskie grupy do wystąpienia z żądaniem edukacji wielokulturowej – która nie wymaga zapewne usunięcia z programów szkolnych narracji liberalnej, lecz wymaga wprowadzenia do nich także innych opowieści.

Twierdzi się powszechnie i słusznie, że wielokulturowość ma uczyć dzieci kultur innych dzieci, ma wprowadzać pluralizm społeczeństwa imigranckiego do klas szkolnych. O ile wcześniejsza wersja neutralności, pojmowana lub dezinterpretowana jako unikanie kulturowego zaangażowania, zmierzała do

---

[12] Zob. mocną i gruntownie uzasadnioną wykładnię edukacyjnych wymogów liberalnej demokracji w: Amy Gutmann, *Democratic Education* (Princeton University Press, Princeton, NJ 1987).

uczynienia z wszystkich dzieci po prostu Amerykanów (tj. do maksymalnego upodobnienia ich do angielskich protestantów), o tyle celem wielokulturowości jest rozpoznanie ich jako Amerykanów o tożsamości z dywizem, którą już mają, i sprawienie, by nauczyli się rozumieć i cenić swą odmienność. Nie ma powodu sądzić, że rozumienie odmienności czy podziw dla niej koliduje z wymogami liberalnego obywatelstwa, choć trzeba raz jeszcze podkreślić, że to ostatnie jest mniej rygorystyczne niż obywatelstwo republikańskiego państwa narodowego.

Wielokulturowość wszelako przybiera czasami postać innego rodzaju programu, zgodnie z którym szkoły państwowe służyłyby do umacniania zagrożonych czy zdewaluowanych tożsamości. Nie chodzi o to, aby uczyć dzieci, co to znaczy być innym w pewien sposób, lecz o to, by uczyć dzieci, którym przypisuje się inność, jak być innym we właściwy sposób. Program ten jest zatem nieliberalny przynajmniej w tym sensie, że umacnia utrwalone lub zakładane tożsamości i nie ma nic wspólnego z wzajemnym poznaniem czy indywidualnym wyborem. Prawdopodobnie pociąga też za sobą jakąś formę edukacyjnej separacji, czego przykładem jest teoria i praktyka afrocentryzmu, który stara się zapewnić czarnym dzieciom w szkołach państwowych to, co Kościół daje katolickim dzieciom w szkołach prywatnych. Pluralizm istnieje więc tylko w systemie jako całości, ale nie w doświadczeniu każdego

dziecka, i państwo musi podejmować odpowiednie
kroki, aby zmusić różne szkoły, by obok wszystkich
innych rzeczy, których uczą, przekazywały też wartości amerykańskiego liberalizmu. Przykład katoli-
cki dowodzi, że społeczeństwo imigranckie może
zadowolić się takimi regulacjami, przynajmniej
dopóty, dopóki ogromna większość dzieci uczy się
w klasach mieszanych. Można mieć jednak poważne wątpliwości, czy liberalne stosunki polityczne
mogłyby się utrzymać, gdyby wszystkie dzieci po-
bierały jakąś wersję („ich" wersję) katolickiej edukacji parafialnej czy edukacji afrocentrycznej. Losy
państwa liberalnego zależałyby wówczas od wyników edukacji pozaszkolnej: codziennych doświadczeń związanych ze środkami masowego przekazu,
aktywnością zawodową i działalnością polityczną.

Religia obywatelska

Spróbujmy rozważyć, czego uczą szkoły państwowe o wartościach i cnotach państwa jako świeckiej
formy objawienia „religii obywatelskiej" (termin
Jean-Jacques'a Rousseau)[13]. Jeśli pominąć przypa-

---

[13] *Umowa społeczna*, przeł. Bronisław Baczko i inni, PWN,
Warszawa 1966, księga 4, rozdział 8. Termin ten znalazł za-
stosowanie do współczesnych praktyk religii obywatelskich
w książce Roberta Bellaha *The Broken Covenant: American
Civil Religion in Time of Trial* (Seabury, New York 1975).

dek deifikacji imperialnego władcy, objawienie to można nazwać religijnym głównie przez analogię, ale jest to analogia warta prześledzenia. Przykład edukacji szkolnej wyraźnie wskazuje bowiem, że idzie tu o „religię", której nie można oddzielić od państwa: jest ona zbiorem podstawowych zasad państwa mających decydujące znaczenie dla jego reprodukcji i stabilności. Religia obywatelska składa się z pełnego zbioru politycznych doktryn, historycznych narracji, wzorcowych postaci, uroczystości i upamiętniających obrzędów, za których pośrednictwem państwo odciska się w umysłach obywateli, zwłaszcza najmłodszych i świeżo upieczonych. Czy jest możliwe, by w jakimś państwie istniał więcej niż jeden zbiór takich zasad? Wydaje się oczywiste, że religie obywatelskie mogą tolerować się nawzajem tylko w społeczeństwie międzynarodowym, a nie w ramach jednych rządów.

W rzeczywistości religia obywatelska staje się często źródłem nietolerancji w społeczności międzynarodowej, ponieważ rozbudza zaściankową dumę ze sposobu życia po tej stronie granicy oraz nieufność i lęk przed sposobem życia po tamtej stronie. Na gruncie wewnętrznym może wywierać natomiast korzystny wpływ, gdyż zaopatruje każdego obywatela w pewną wyjściową, wspólną tożsamość, łagodząc niebezpieczne następstwa późniejszego różnicowania. Religia obywatelska, podobnie jak państwowa edukacja, niewątpliwie stwarza czasami

konkurencję dla przynależności grupowej: świadczy
o tym przypadek francuskich republikanów i francuskich katolików w XIX wieku czy, współcześnie, republikanów i muzułmanów. Ponieważ jednak religie
obywatelskie zwykle nie mają teologii, mogą przystosowywać się do różnicy – nawet lub zwłaszcza
do różnicy religijnej. Mimo specyficznego konfliktu
historycznego w czasach rewolucji nie ma więc powodów, dla których gorliwy katolik nie mógłby być
lojalnym republikaninem.

Tolerancja prawdopodobnie najlepiej działa wtedy, gdy religia obywatelska wykazuje najmniejsze
podobieństwo do... religii. Gdyby Robespierre'owi
udało się powiązać republikańskie idee polityczne
ze szczegółowo opracowaną doktryną deistyczną,
mógłby stworzyć trwałą barierę, która odgrodziłaby
republikanów od katolików (albo muzułmanów czy
wyznawców judaizmu). Jego porażka ma wymiar
symbolu: idee polityczne przyjmują bagaż autentycznej wiary religijnej na własne ryzyko. To samo
można powiedzieć o bagażu autentycznej wiary anty-
religijnej. Wojujący ateizm uczynił komunistyczne
reżimy Europy Wschodniej równie nietolerancyjny-
mi, jak uczyniłaby każda inna ortodoksja – i w konsekwencji politycznie słabymi: nie potrafiły one
zyskać poparcia ogromnej części swoich obywateli.
Większość religii obywatelskich roztropnie zado-
wala się mglistą, powierzchowną, nierygorystyczną
religijnością, która jest raczej domeną odświętnych

opowieści i uroczystości niż jasnych czy trwałych przekonań.

To liberalne podejście może oczywiście budzić sprzeciw ortodoksyjnych grup religijnych obawiających się, że będzie ono skłaniać ich dzieci do tolerowania religijnych błędów czy świeckiej niewiary. Niełatwo powiedzieć, jak należałoby reagować na tego rodzaju obawy; można tylko żywić nadzieję, że są w pełni uzasadnione i że publiczne szkoły oraz opowieści i uroczystości religii obywatelskiej będą wywierać dokładnie taki wpływ, jakiego obawiają się ortodoksyjni rodzice. Rodzice mogą zresztą zabierać swoje dzieci ze szkół publicznych i unikać styczności z religią obywatelską poprzez taką czy inną formę sekciarskiej izolacji. Nie ma jednak sensu twierdzenie, że szacunek dla różnorodności nie pozwala społeczeństwu imigranckiemu jak amerykańskie uczyć szacunku dla różnorodności. Uprawnioną zaś formą takiej liberalnej edukacji są niewątpliwie opowieści o historii różnorodności i celebracja jej wielkich momentów[14].

---

[14] Inny punkt widzenia na fundamentalistyczną krytykę liberalnej edukacji przedstawia Nomi Maya Stolzenberg w artykule *„He Drew a Circle that Shut Me Out": Assimilation, Indoctrination, and the Paradox of Liberal Education*, „Harvard Law Review", 106 (1993), s. 581–667. Liberalna edukacja zawiera faktycznie pewien paradoks, jednak rodzice, o których Stolzenberg pisze tak życzliwie, fundamentalistyczni chrześcijanie, prawdopodobnie przeceniają wpływ, jaki na ich dzieci wywierają szkoły publiczne. Niemniej jednak liberalne społeczeństwo mogłoby tolerować nierespektowanie prawa

W państwach narodowych te opowieści i cele-
bracje będą miały inny charakter: będą wyrastały
z historycznych doświadczeń nacji większościowej
i uczyły o ich wartości. Religia obywatelska umożliwia zatem dalsze różnicowanie się grupy większościowej – według kryteriów religijnych, regionalnych
i klasowych – ale nie buduje żadnych pomostów
między większością a grupami mniejszościowymi.
W zamian ustanawia wzorzec asymilacji jednostek:
sugeruje na przykład, że aby stać się Francuzem,
musisz umieć wyobrazić sobie, że twoi przodkowie
szturmowali Bastylię, a w każdym razie że szturmo-
waliby ją, gdyby znajdowali się wtedy w Paryżu.
Jednak mniejszość narodowa mająca własną religię
obywatelską może cieszyć się nadal przywilejami
tolerancji, dopóki odprawia swoje obrzędy prywat-
nie. A członkowie tej mniejszości mogą stać się obywatelami i przyswajać sobie na przykład zwyczaje
francuskiej kultury politycznej bez angażowania
wyobraźni we francuskość.

Wspólna tożsamość pielęgnowana przez religię
obywatelską odgrywa szczególnie doniosłą rolę
w społeczeństwach imigranckich, w których występują skądinąd bardzo różnorodne tożsamości. W imperiach wielonarodowych tożsamości są, naturalnie,

---

przez takich rodziców i ich dzieci, umotywowane nakazami
sumienia. Warto w tym kontekście zajrzeć do recenzji Sanfor-
da Levinsona w „Michigan Law Review", 92, nr 6 (maj 1994),
s. 1873–1892, z książki Stephena Cartera *Culture of Disbelief*.

nawet jeszcze bardziej zróżnicowane, ale poza jednoczącą postacią imperatora i lojalnością, której domaga się on od wszystkich swych poddanych, poczucie więzi wspólnotowej nie ma większego znaczenia. Współczesne społeczeństwa imigranckie są również państwami demokratycznymi i ich zdrowie polityczne zależy, przynajmniej do pewnego stopnia, od zaangażowania i aktywności obywateli. Jeśli jednak lokalna religia obywatelska ma umacniać i propagować taką postawę, to musi przystosować się nie tylko do innych religii, lecz także do innych religii obywatelskich. Jej najbardziej entuzjastyczni zwolennicy będą oczywiście próbowali zastąpić nią inne religie: taki cel przyświecał na przykład kampaniom amerykanizacji w początkach XX wieku. I być może faktycznie taki będzie długofalowy skutek doświadczenia amerykańskiego. Może każde społeczeństwo imigranckie jest tylko państwem narodowym w budowie, a religia obywatelska stanowi jedno z narzędzi tej transformacji. Niemniej jednak prowadzenie agitacji na rzecz takich przeobrażeń jest aktem nietolerancji, działaniem, które może wywoływać opór i mnożyć podziały między różnymi grupami (a także wewnątrz nich).

W każdym razie okazuje się, że religia obywatelska, taka jak amerykanizm, może współistnieć stosunkowo bezkolizyjnie z czymś, co można by nazwać alternatywnymi praktykami religii obywatelskiej w życiu jej uczestników. Opowieści i obrzędy wiążące się np. z Dniem Dziękczynienia, Dniem Pamięci czy Czwartym Lipca mogą koegzystować we wspólnym życiu Amerykanów irlandzkiego, afrykańskiego czy żydowskiego pochodzenia z bardzo odmiennymi opowieściami i obrzędami. Różnica nie jest tu sprzecznością. Przekonania mogą wchodzić ze sobą w konflikt znacznie łatwiej niż opowieści, a jeden obrzęd nie wyklucza, nie unieważnia ani nie podważa innego. Istotnie, łatwiej spokojnie przyglądać się celebrowanym w sferze prywatnej wspólnotowym czy rodzinnym obrzędom naszych współobywateli, jeśli wiemy, że będą oni także celebrowali publicznie razem z nami inne święta. Religia obywatelska umożliwia zatem tolerowanie częściowych różnic – a raczej skłania nas do myślenia o różnicy jako tylko częściowej. Jestem Amerykaninem, ale także kimś innym, a jestem bezpieczny jako ktoś inny, gdy jestem Amerykaninem.

Nie ulega wątpliwości, że istnieją, bądź mogą istnieć, mniejszościowe religie obywatelskie o głębszej podbudowie ideologicznej lub teologicznej, sprzeczne z wartościami amerykańskimi; takie religie jednak rzadko ujawniały się w amerykańskim życiu publicznym. Podobnie nietrudno wyobrazić sobie bardziej nietolerancyjną wersję amerykanizmu, na przykład amerykanizm zdefiniowany w kategoriach chrześcijańskich, powiązany wyłącznie, nawet pod względem rasowym, z europejskimi korzeniami i o wąskiej treści politycznej. Takie formy amerykanizmu pojawiały się już w przeszłości (stąd pojęcie „działalności antyamerykańskiej" w antykomunistycznym ustawodawstwie z lat trzydziestych XX wieku) i istnieją nadal, ale żadna z nich nie stanowi obecnie dominującej wersji. Amerykańskie społeczeństwo jest nie tylko z zasady, ale także faktycznie zbiorowością jednostek o różnorodnych, częściowych tożsamościach. Oczywiście religie usiłowały często negować te fakty, a religie obywatelskie również mogą podejmować podobne próby. Może się nawet okazać, że wzorce różnicy w USA i innych społeczeństwach imigranckich są chwiejne i nietrwałe. Nawet gdyby tak było, *Kulturkampf* przeciw różnicy nie wydaje się najlepszą reakcją na taki stan rzeczy. Religia obywatelska może przynieść pożądane owoce raczej dzięki adaptacji niż opozycji do różnorodnych tożsamości osób, które zamierza wciągnąć w orbitę swoich wpływów. W końcu jej celem nie jest pełna konwersja, lecz tylko socjalizacja polityczna.

Tolerowanie nietolerancji

Czy należy tolerować nietolerancyjnych? Często twierdzi się, że pytanie to jest głównym, a zarazem najtrudniejszym problemem w teorii tolerancji. To wszakże nie może być prawdą, bo niemal wszystkie grupy tolerowane w czterech formach rządów krajowych są w istocie nietolerancyjne. Jest wielu „innych", którzy nie budzą entuzjazmu ani zainteresowania tych grup i których praw one nie uznają – a nawet nie przyjmują z obojętnością czy rezygnacją samego faktu ich istnienia. W imperiach wielonarodowych różne „nacje" przyjmują zapewne doraźnie postawę rezygnacji; przystosowują się do warunków koegzystencji pod rządami imperialnymi. Gdyby jednak grupy te przejęły ster rządów, nie miałyby powodu do zachowania takiej postawy, a niektóre z nich z pewnością próbowałyby w taki czy inny sposób położyć kres dawnej koegzystencji. Jest to zapewne dobry powód, aby odmawiać im dostępu do politycznej władzy, który jednak nie usprawiedliwia odmawiania im przywileju tolerancji w państwie imperialnym. Tak samo jest w państwach związkowych, których regulacje ustrojowe mają przede wszystkim ograniczać ewentualną nietolerancję stowarzyszonych wspólnot.

Podobnie mniejszości w państwach narodowych i społeczeństwach imigranckich są, i powinny być, tolerowane, nawet jeśli wiadomo, że ich pobratymcy czy współwyznawcy, którzy sprawują władzę w innych krajach, brutalnie gwałcą zasady tolerancji. Te same grupy mniejszościowe nie mogą manifestować tutaj (na przykład we Francji czy w Ameryce) nietolerancji, to znaczy nie mogą nękać swych sąsiadów ani prześladować odmieńców i heretyków we własnych szeregach czy stosować wobec nich represji. Wolno im jednak ekskomunikować lub poddawać ostracyzmowi tych odmieńców i heretyków, a także wolno im wierzyć i głosić, że tacy ludzie będą na wieki potępieni i że zabraknie dla nich miejsca w przyszłym świecie – albo że jakaś grupa ich współobywateli wiedzie żywot odrzucany przez Boga bądź całkowicie niezgodny z ludzkim rozwojem. W rzeczywistości wiele sekt protestanckich, dla których stworzono pierwotnie nowoczesną wersję rządów tolerancji i które przyczyniły się do jej skutecznego funkcjonowania, żywiło i głosiło takie poglądy.

Celem oddzielenia Kościoła od państwa w nowoczesnych systemach ustrojowych jest odebranie politycznej władzy przywódcom religijnym na gruncie realistycznego założenia, że każdy z nich jest, przynajmniej potencjalnie, nietolerancyjny. Jeśli dostępu do władzy odmawia się im skutecznie, mogą się oni nauczyć tolerancji lub, co bardziej prawdopodobne, nauczyć się żyć tak, jakby posiedli tę cnotę. Ma ją oczywiście wielu przeciętnych wyznawców, zwłaszcza w społeczeństwach imigranckich, gdzie nieuchronnie spotykają się oni na co dzień z „innymi" zarówno wewnątrz, jak i na zewnątrz własnej wspólnoty. Oddzielenie Kościoła od państwa jest potrzebne także im i na ogół skłonni są udzielać mu politycznego poparcia, ponieważ akt ten chroni ich samych i wszystkich innych przed ewentualnym fanatyzmem współwyznawców. Źródłem fanatyzmu może być ponadto działalność etnicznych aktywistów i bojowników (w społeczeństwach imigranckich), toteż także etniczność wymaga oddzielenia od państwa z takich samych powodów.

Demokracja wymaga jeszcze innej separacji, która na ogół nie jest właściwie rozumiana: oddzielenia od państwa samej polityki. Partie polityczne rywalizują o władzę i starają się realizować program kształtowany, dajmy na to, przez pewną ideologię. Partia wszakże, która odnosi zwycięstwo w wyborach, chociaż może przekuć swą ideologię w zbiór aktów prawnych, nie może przekształcić jej w oficjalne kredo religii obywatelskiej, nie może ogłosić dnia, w którym sięgnęła po władzę, świętem państwowym, nie może domagać się, aby jej historia była obowiązkowym przedmiotem w szkołach publicznych, ani wykorzystywać prerogatyw władzy państwowej do wprowadzenia zakazu publikacji czy zgromadzeń innych partii politycznych[15]. Tego rodzaju zjawiska spotykamy w systemach totalitarnych, i można tu dostrzec bliską analogię do poli-

---

[15] Ogłoszenie Dnia Pracy oficjalnym świętem państwowym w Stanach Zjednoczonych stanowi interesującą ilustrację tego, co można, a czego nie można (lub co należy, a czego nie należy) czynić. Pierwszy Maja był świętem ruchu robotniczego oraz sprzymierzonych z nim partii i ugrupowań; miał pewną specyficzną, ściśle określoną treść polityczną, która sprawiała, że niespecjalnie nadawał się na święto państwowe. Zmiana nazwy i daty pozbawiła obchody tego święta specyficznych, ideologicznych treści politycznych i uczyniła z niego nie tyle święto ludzi pracy, ile raczej wszystkich ludzi.

tycznej instytucjonalizacji jednego, monolitycznego Kościoła. Religie liczące na uzyskanie statusu religii państwowej i partie marzące o totalnej kontroli nad obywatelami mogą być – i na ogół są – tolerowane w liberalnych, demokratycznych państwach narodowych i w społeczeństwach imigranckich. Ale można je także (na co zwróciłem uwagę w rozdziale 1 tego eseju) pozbawić prawa do sprawowania władzy w państwie, a nawet do ubiegania się o nią[16]. Oddzielenie od państwa oznacza wtedy, że nie mogą one wykraczać poza ramy społeczeństwa obywatelskiego: mogą nauczać, pisać i spotykać się; pozwala im się jedynie na sekciarską egzystencję.

---

[16] Herbert Marcuse argumentował za wprowadzeniem o wiele bardziej radykalnych restrykcji: „odstąpienie od tolerancji już w fazie poprzedzającej działanie, w fazie przekazywania informacji za pośrednictwem słowa mówionego, druku i obrazu" (*Repressive Tolerance*, w: Robert Paul Wolff, Barrington Moore jr i Herbert Marcuse, *A Critique of Pure Tolerance*, Beacon, Boston 1965, s. 109). U źródeł argumentacji Marcusego leży wielka wiara we własną zdolność do trafnego rozpoznawania „sił emancypacji", a tym samym do odmawiania tolerancji tylko jej wrogom.

ROZDZIAŁ 5

TOLERANCJA NOWOCZESNA
I PONOWOCZESNA

Projekty nowoczesne

W dotychczasowych rozważaniach starałem się zbadać granice tolerancji, ale nie mówiłem jeszcze w ogóle o rządach nietolerancji, jakimi są w istocie liczne imperia, państwa narodowe i społeczeństwa imigranckie. W takich formach rządów tolerancja dla odmienności ustępuje miejsca systematycznemu dążeniu do jedności i uniformizacji. Imperialne centrum może zmierzać do stworzenia czegoś w rodzaju państwa narodowego: taki był cel rusyfikacyjnych kampanii dziewiętnastowiecznych carów. Państwo narodowe może z kolei wzmagać presję na mniejszości narodowe i imigrantów: asymiluj się albo wyjedź! Społeczeństwo imigranckie rozgrzewa do czerwoności swój „tygiel", licząc na to, że wyłoni się z niego nowy naród (ukształtowany zwykle na modłę pierwszych grup osadników czy imigrantów). „Amerykanizacja" w Stanach Zjednoczonych początków XX wieku to przykład, którym zwykle ilustruję ten ostatni projekt, będący w istocie próbą przyjmowania imigrantów bez uznawania różnicy.

Tego rodzaju działania mogą skutecznie zacierać różnice kulturowe i religijne, kiedy jednak nie posuwają się do dotkliwych prześladowań, przyczyniają się raczej do utrwalenia tych różnic. Uwydatniają odrębność członków grup mniejszościowych, różnicują ich ze względu na przynależność grupową, zmuszają do wzajemnej pomocy, wykuwają silne więzy solidarności. Niemniej jednak ani przywódcy takich grup mniejszościowych, ani ich najbardziej zaangażowani członkowie nie będą preferowali rządów nietolerancji[1]. W sprzyjających okolicznościach zaczną poszukiwać jakiejś wersji indywidualnej lub zbiorowej tolerancji: asymilacji poszczególnych jednostek w zbiorowości obywateli albo uznania ich grupowej odrębności przez społeczeństwo danego kraju lub społeczność międzynarodową i zagwaran-

---

[1] Znany argument Jean-Paula Sartre'a, że antysemityzm jest siłą, która podtrzymuje żydowską tożsamość, można odnieść do wielu innych grup mniejszościowych, jednak trudno oczekiwać, że zostanie zaakceptowany przez ich członków (zwłaszcza członków najbardziej zaangażowanych), którzy przypisują realną wartość grupowej historii i kulturze oraz są przeświadczeni, że właśnie ta wartość jest przyczyną, dla której jednostki identyfikują się ze swoją wspólnotą. Zob. moją przedmowę do *Anti-Semite and Jew* [*Rozważania o kwestii żydowskiej* Sartre'a].

towania jakiejś formy samorządności – regionalnej lub funkcjonalnej autonomii, państwa związkowego lub suwerennej państwowości.

Te dwie formy tolerancji – indywidualną asymilację i uznanie grupowej odrębności – można uważać za najważniejsze projekty nowoczesnej polityki demokratycznej. Przedstawia się je na ogół we wzajemnie wykluczających się kategoriach: albo jednostki, albo grupy zostaną uwolnione od prześladowań i społecznej niewidoczności, a jednostki uzyskają tę wolność tylko wtedy, gdy opuszczą swoje grupy. Przytaczałem już Sartre'owską charakterystykę tej ostatniej postawy, której korzenie sięgają rewolucji francuskiej. Rewolucjoniści dążyli najpierw do wyzwolenia pojedynczego człowieka od dawnych korporacyjnych wspólnot i umocnienia jego (a później jej) pozycji filarem praw – by następnie uczyć tych wyposażonych w prawa mężczyzn (i kobiety) ich obywatelskich obowiązków. Pomiędzy jednostką a reżimem politycznym, republiką francuskich obywateli, istniała (według zapatrywań rewolucjonistów) tylko pusta przestrzeń umożliwiająca łatwe przechodzenie od życia prywatnego do publicznego, a tym samym zachęcająca do kulturowej asymilacji i zaangażowania politycznego.

Porewolucyjni liberałowie i demokraci zaczęli stopniowo doceniać znaczenie stowarzyszeń pośredniczących, które zapełniały tę pustą przestrzeń, zarówno jako formę artykulacji jednostkowych interesów i przekonań, jak też jako szkołę demokracji. Te same stowarzyszenia tworzą jednak zarazem pewnego rodzaju schronienie dla narodowych mniejszości, gdzie mogą one kultywować swą zbiorową tożsamość i opierać się asymilacyjnej presji. Liberalni demokraci zaś mogą do pewnego stopnia akceptować kultywowanie tej tożsamości i opór wobec asymilacji – do punktu (spierano się zawsze, gdzie on leży), w którym te stowarzyszenia zaczynają grozić represjonowaniem członków i osłabianiem ich republikańskiej lojalności. Republikanie tolerują jednostki z grup mniejszościowych, uznając je, niezależnie od ich wyznania i pochodzenia etnicznego, za swych współobywateli, a także tolerując grupy, które tworzą – jeśli tylko są one, w najmocniejszym sensie tego terminu, stowarzyszeniami wtórnymi.

Demokratyczna inkluzywność to pierwszy z projektów nowoczesności. Polityczne dążenia demokratycznej lewicy w ciągu ostatnich dwóch stuleci można przedstawić jako ciąg walk o włączenie: Żydzi, robotnicy, kobiety, czarni i imigranci różnego rodzaju szturmują i burzą mury burżuazyjnego miasta. W toku tych walk tworzą silne partie i ruchy, organizacje na rzecz zbiorowej obrony i postępu. Ale kiedy wkraczają do miasta, czynią to jako jednostki.

Alternatywnym rozwiązaniem jest separacja. To drugi projekt nowoczesny: zagwarantowanie grupie jako całości głosu, miejsca i własnej polityki. Nie wymaga to już walki o włączenie tych grup do życia społecznego, ale walki o granice. Podstawowym hasłem bojów jest „samostanowienie", co implikuje potrzebę uzyskania własnego terytorium, a przynajmniej niezależnych instytucji – i w konsekwencji decentralizację, przekazywanie kompetencji, autonomię, podział państwa lub suwerenność. Właściwe określenie tych granic, nie tylko w wymiarze geograficznym, ale i funkcjonalnym, jest niezmiernie trudne. Każde rozstrzygnięcie polityczne stanie się przedmiotem zażartych sporów. Ale jakieś rozstrzygnięcie musi zapaść, jeśli różne grupy mają wywierać znaczący wpływ na swoje losy i czynić to przy minimum bezpieczeństwa.

Tego rodzaju procesy zachodzą nadal: adaptacja politycznych regulacji dawnych imperiów do nowych warunków i rozszerzanie nowoczesnego systemu stosunków międzynarodowych, wzrastająca liczba państw narodowych, samorządnych regionów, odrębnych społeczności, lokalnych władz itd. Zwróćmy uwagę, co się uznaje i toleruje w tym drugim projekcie: zawsze grupy i ich członków, osoby, którym przypisuje się jednorodne, a przynajmniej pierwotne tożsamości o charakterze etnicznym lub religijnym. Rezultaty tych działań zależą oczywiście od stopnia mobilizacji tych grup ludzkich, ale bezpośrednie kontakty ponad dzielącymi je granicami nawiązują tylko ich przywódcy (z wyjątkiem sytuacji, gdy kontakty te mają charakter militarny).

Autonomia wspólnotowa umacnia władzę tradycyjnych elit; państwo związkowe przyjmuje na ogół
postać umowy o podziale władzy między te elity;
wzajemne stosunki państw narodowych są utrzymy-
wane przez korpusy dyplomatyczne i politycznych
przywódców. Przeważająca większość członków
tych grup może korzystać z przywilejów tolerancji
dzięki separacji opartej na założeniu, że ludzie ci
uważają się za członków swych wspólnot i pragną
być stowarzyszeni przede wszystkim z innymi ich
członkami. Żywią przeświadczenie, że „mur to gwa-
rancja dobrego sąsiedztwa"[2].

Te dwa projekty może jednak realizować także
więcej grup jednocześnie, a nawet wielu członków
tej samej grupy. Ta ostatnia możliwość urzeczy-
wistnia się w istocie dość powszechnie: niektórzy
próbują uwolnić się od ograniczeń, jakie narzuca
im przynależność do grupy religijnej czy etnicznej,
twierdząc, że są jedynie obywatelami, podczas gdy
inni chcą być uznawani i tolerowani właśnie jako
członkowie zorganizowanej wspólnoty wyznawców jakiejś religii albo etnicznych pobratymców.
Stanowcze (lub po prostu ekscentryczne) jednostki,
które zerwały ze swoim wspólnotowym zapleczem,

---

[2] Słowa te wypowiada jedna z postaci w poemacie narra-
cyjnym Roberta Frosta *Mending Wall*, w: *The Poems of Robert
Frost* (Modern Library, New York 1946), s. 35–36 [wyd. pol.:
Robert Frost, *Naprawianie muru*, w: tegoż, *Wiersze*, przeł. Le-
szek Elektorowicz, PIW, Warszawa 1972, s. 29]. Poeta nie po-
dziela w pełni tego poglądu.

współegzystują z zaangażowanymi (lub po prostu zasiedziałymi) mężczyznami i kobietami, którzy to zaplecze tworzą i którzy starają się je zachować. Te dwa projekty wydają się zatem konkurencyjne: czy powinniśmy preferować indywidualną ucieczkę, czy lojalność wobec grupy? Nie ma jednak żadnych istotnych racji, dla których należałoby przyjąć sztywne preferencje. Konflikt ten wymaga rozwiązywania odrębnie dla każdego przypadku, rozstrzygania w rozmaity sposób dla różnych grup żyjących w różnych systemach ustrojowych (mieliśmy już okazję przyjrzeć się kilku przykładom). Przezwyciężenie go nie jest możliwe: z czego miałyby bowiem uciekać jednostki, gdyby upadła grupowa lojalność? Jak mogłyby szczycić się ucieczką, której nikt nie próbował przeszkodzić? I kim byłyby, gdyby nie musiały walczyć o to, by stać się tym, czym obecnie są? Koegzystencja silnych grup i wolnych jednostek, pomimo wszelkich trudności, jakie się z nią wiążą, jest trwałym znamieniem nowoczesności.

Ponowoczesność?

Ostatni model tolerancji, który chcę omówić, podsuwa inne wzorce i sugeruje może pewien projekt ponowoczesny. W społeczeństwach imigranckich (a dziś także w państwach narodowych pod presją imigrantów) ludzie zaczynają doświadczać czegoś,

co można by scharakteryzować jako życie bez wy-
raźnych granic i bez trwałych czy jednorodnych
tożsamości. Różnica jest w tych społeczeństwach
niejako rozproszona, co sprawia, że można ją spot-
kać wszędzie, każdego dnia. Jednostki uwalniają się
od swoich zaściankowych uwikłań i mieszają się
swobodnie z członkami większości, ale niekoniecznie asymilują się, przyjmując wspólną tożsamość.
Kontrola grup nad członkami jest słabsza niż kiedykolwiek wcześniej, ale więzi grupowe nie zostają
całkowicie zerwane. Prowadzi to do nieustannego
mieszania się jednostek o niejednoznacznie okre-
ślonych tożsamościach, do zawierania mieszanych
małżeństw i w konsekwencji do nasilania się zjawiska wielokulturowości, której przejawy można za-
obserwować nie tylko na poziomie społeczeństwa
jako całości, ale także wśród coraz większej liczby rodzin, a nawet jednostek. Tolerancja zaczyna
się teraz już w domu, gdzie często musimy zawierać etniczne, religijne czy kulturowe kompromisy
z naszymi małżonkami, teściami i dziećmi – a także
z własną, poskładaną z różnorodnych tożsamości
albo wewnętrznie podzieloną jaźnią.

Tego rodzaju tolerancja może być problematycz-
na zwłaszcza w pierwszej generacji mieszanych rodzin i wewnętrznie podzielonych jaźni, kiedy każdy
nadal pamięta bardziej spoistą wspólnotę czy bardziej jednorodną świadomość i może tęskni za nimi.
Fundamentalizm wyraża tę nostalgię w ideologicz-

nej postaci; fundamentalistyczna nietolerancja koncentruje się, jak już wskazywałem, nie tyle na innych ortodoksjach, ile raczej na świeckim zamęcie i świeckiej anarchii. Nawet dla osób bez fundamentalistycznych skłonności prywatne spotkania z różnicą mogą być źródłem dyskomfortu. Wiele z tych osób zachowuje bowiem nadal lojalność wobec grup (a przynajmniej odczuwa pewną nostalgię za nimi), z którymi ich samych, ich rodziców i ich dziadków (ze strony jednego rodzica lub obojga) łączą historyczne więzi.

Wyobraźmy sobie teraz, kilka pokoleń później na drodze ponowoczesności, ludzi całkowicie odciętych od tego rodzaju więzi, budujących swoje „jaźnie" z fragmentarycznych pozostałości dawnych kultur i religii (i wszystkiego, co dostępne). Prawdopodobnie stowarzyszenia tworzone przez te jednostki-samouków będą zaledwie doraźnymi sojuszami, łatwymi do zerwania, gdy tylko pojawią się inne, bardziej atrakcyjne możliwości. Czy w takich okolicznościach tolerancja i nietolerancja nie ustąpią miejsca czysto osobistym sympatiom i awersjom? Czy dawnych sporów publicznych i politycznych konfliktów wokół tego, kto ma być tolerowany i jak daleko powinna sięgać tolerancja, nie zastąpią teraz prywatne melodramaty? Z tej perspektywy trudno dostrzec jakieś widoki na przyszłość dla rządów tolerancji. Można przypuszczać, że będziemy reagowali rezygnacją, obojętnością, stoicką akceptacją,

ciekawością lub entuzjazmem na osobliwe czy iry-
tujące zachowania naszych ponowoczesnych bliźnich. Ponieważ jednak ci bliźni – ci inni – nie będą
się pojawiali w rozpoznawalnych kostiumach, nasze
reakcje nie będą miały stałego wzorca.

Ponowoczesny projekt unicestwia wszelkie formy wspólnej tożsamości i standardowych zachowań: toruje drogę społeczeństwu, w którym zaimki
w liczbie mnogiej „my" i „oni" (a nawet mieszanej:
„my" i „ja") nie mają stałego odniesienia; kieruje się
w stronę całkowitej pełni jednostkowej wolności.
Bułgarsko-francuska pisarka Julia Kristeva należy
do najbardziej interesujących teoretyków-obroń-
ców tego projektu: nakłania nas do uznania świata
obcych („ponieważ tylko obcość jest uniwersalna")
i zaakceptowania obcego w nas samych. Oprócz
pewnego argumentu psychologicznego, który muszę
w tym miejscu pominąć, Kristeva przeformułowuje
stary argument moralny, którego najdawniejszą wersją jest biblijny nakaz: „Nie będziesz gnębił obcego,
gdyż i wy byliście obcymi w ziemi egipskiej"[3]. Kristeva zmienia zaimek, formę czasową czasownika
i zasięg geograficzny, aby powtórzyć ten nakaz we
współczesnej wersji: nie będziesz gnębił obcego,

---

[3] Biblia Tysiąclecia (Wj 22,20): „Nie będziesz gnębił i nie
będziesz uciskał cudzoziemców, bo wy sami byliście cudzo-
ziemcami w ziemi egipskiej", co nie oddaje w pełni intencji
M. Walzera, w angielskiej wersji występuje bowiem słowo
stranger – obcy (przyp. tłum.).

gdyż my wszyscy jesteśmy obcymi na tej ziemi. Nie ulega wątpliwości, że łatwiej będzie nam tolerować inność, gdy uznamy innego w nas samych[4]. Ale jeśli każdy jest obcym, to nie jest nim nikt. Jeżeli bowiem nie doświadczamy tożsamości w jakiejś silnej formie, to inności nie umiemy nawet rozpoznać. Społeczność obcych byłaby najwyżej jakimś chwilowym zgrupowaniem istniejącym tylko w opozycji do jakiejś trwałej wspólnoty. Gdyby nie było takiej wspólnoty, nie byłoby również społeczności obcych. Można sobie wyobrazić, że urzędnicy państwowi „tolerują" wszystkich ponowoczesnych obcych; granice tolerancji określałby wówczas kodeks karny i żadne inne regulacje nie byłyby potrzebne. Jednak polityka różnicy, nieustannego negocjowania relacji międzygrupowych i praw jednostki zostałaby skutecznie przekreślona.

Kristeva próbuje opisać państwo narodowe jako znajdujące się niejako na drodze do takiego stanu; używa Francji (w tej mierze, w jakiej Francja stara się sprostać swemu oświeceniowemu dziedzictwu) jako przykładu jego „optymalnej realizacji" – co czyni Kristevą jedną z tych idealnych imigrantek, których pryncypialny patriotyzm przewyższa przywiązanie do własnego kraju, jakie kiedykolwiek było

---

[4] Julia Kristeva, *Nations without Nationalism* (Columbia University Press, New York 1993), s. 21 i nast. Zob. też tejże, *Strangers to Ourselves* (Columbia University Press, New York 1991).

udziałem większości jego rodowitych mieszkańców. Francja w swoim najlepszym wydaniu – pisze Kristeva – jest społeczeństwem „przejściowym", w którym tradycje narodowe nadal „trzymają się mocno", ale jednostki mogą, przynajmniej do pewnego stopnia, określać swoją tożsamość i tworzyć własne ugrupowania społeczne, których kształt wyznacza „raczej przejrzysta świadomość niż przeznaczenie". To samookreślenie przybliża nas do „wciąż nieprzewidywalnej", choć niewątpliwie wyobrażalnej „poliwalentnej wspólnoty [...] świata bez obcych", co musi również oznaczać Francję bez Francuzów (patriotyzm Kristevej jest więc zapewne tylko postawą tymczasową)[5].

Nawet najbardziej rozwinięte społeczeństwa imigranckie – w których samoukształtowane jednostki i zindywidualizowane wersje kultur i religii zaznaczają swą obecność znacznie wyraźniej niż we Francji – nie są jeszcze „wspólnotami poliwalentnymi". Nadal jesteśmy w tej pierwszej generacji: nie żyjemy w świecie obcych przez cały czas, a z obcością drugiego człowieka nie spotykamy się sam na sam. W zamian nadal doświadczamy różnicy kolektywnie w sytuacjach, w których relacje międzyludzkie musi wspierać polityka tolerancji. Projekt ponowoczesny nie wypiera po prostu nowoczesności, jak czynią to wielkie metanarracje kolejnych przełomów hi-

---

[5] Kristeva, *Nations without Nationalism*, s. 35–43.

storycznych. Pierwszy projekt nakłada się na drugi, ale w żadnym razie nie usuwa go w niepamięć. Ciągle istnieją jeszcze granice, zacierają się jednak stopniowo w następstwie ich nieustannego przekraczania. Nadal wiemy, że jesteśmy tym czy innym, ale wiedza ta jest niepewna, ponieważ jesteśmy tym, *a zarazem* czymś innym. Grupy o silnej tożsamości istnieją i domagają się uznania swych praw politycznych, ale lojalność ich członków jest bardzo zróżnicowana i tworzy rozległe kontinuum postaw, przy czym coraz więcej jednostek skupia się przy jego najdalszym końcu (dlatego bojownicy u bliższego końca tego kontinuum podnoszą obecnie taką wrzawę).

Ten dualizm nowoczesności i ponowoczesności wymaga dwojakiej akomodacji różnicy: po pierwsze, w jej specyficznych jednostkowych i kolektywnych wersjach, a następnie w wersjach pluralistycznych, rozproszonych i wewnętrznie podzielonych. Musimy być tolerowani i chronieni jako obywatele państwa i jako członkowie grup – a także jako obcy i tu, i tu. Samookreślenie musi być jednocześnie polityczne i osobiste – te dwa podejścia kojarzą się ze sobą, ale nie są tym samym. Dawne rozumienie różnicy wiążące jednostki z ich autonomicznymi czy suwerennymi grupami będzie budzić sprzeciw jednostek zajmujących wobec nich dysydencką lub ambiwalentną postawę. Wszelkie jednak nowe rozumienie skupione wyłącznie na tych dysydenckich

jednostkach będzie budziło opór osób nadal próbu-
jących przyswajać sobie, artykułować, pogłębiać,
modyfikować i przekazywać dalej jakąś wspólną
tradycję religijną lub kulturową. Różnica zatem,
przynajmniej na razie, wymaga objęcia dwojakie-
go rodzaju tolerancją – na poziomie jednostkowym
i politycznym – z dowolną mieszaniną (niekoniecznie taką samą w obu przypadkach) rezygnacji, obojętności, stoickiej akceptacji, zaciekawienia
i entuzjazmu.

Mam jednak poważne wątpliwości, czy te dwie
wersje tolerancji są moralnie i politycznie równo-
ważne. Wewnętrznie podzielone jaźnie ludzi ponowoczesnych wydają się bowiem pasożytować na
niepodzielonych grupach, z których się wywodzą
i które tworzą niejako kulturowe podłoże procesu
samookreślenia. Cóż innego mogłyby sobie wyraźnie uświadamiać podmioty Kristevej, jeśli nie swoje
uporczywe tradycje? Im bardziej oddalają się od tego kulturowego podłoża, tym mniej mają tworzywa
do obróbki. Czy projekt ponowoczesny, rozpatry-
wany w oderwaniu od nieodzownego tła historycznego, nie będzie tworzył coraz bardziej powierz-
chownych jednostek i radykalnie zubożonego życia
kulturowego? Mogą być zatem ważkie powody do
permanentnego życia z tym, co określiłem mianem
problemów pierwszej generacji. Powinniśmy doceniać niezmiernie szeroki zakres wolności osobistej,
z którego możemy korzystać jako obcy i potencjalni

obcy we współczesnych społeczeństwach „przejściowych". Zarazem jednak musimy nadawać rządom tolerancji taki kształt, aby umacniały one różnorodne grupy, a może nawet nakłaniały jednostki do silnego identyfikowania się z jedną czy kilkoma z nich. Nowoczesność wymaga, jak już wskazywałem, istnienia stałego napięcia między jednostką a grupą, między obywatelem państwa a członkiem grupy. Ponowoczesność wymaga podobnie stałego napięcia między nią samą a nowoczesnością: między obywatelami państwa i członkami grup z jednej strony a wewnętrznie podzieloną jaźnią, kulturowym obcym z drugiej. Radykalna wolność jest mało pociągająca, jeśli nie istnieje w świecie stawiającym jej znaczący opór.

Jeśli zaś tak, to moje wcześniejsze twierdzenie, że tolerancja może opierać się na którejkolwiek z postaw usytuowanych na kontinuum rezygnacji, obojętności, stoickiej akceptacji, zaciekawienia i entuzjazmu, mogło zostać obalone w czasach, w których żyjemy. Rezygnacja, obojętność i stoicka akceptacja mogą stwarzać warunki do pokojowej koegzystencji tylko wówczas, gdy grupy są samowystarczalne. Istotnie, wszystkie formy rządów opierały się na tym założeniu – że mianowicie grupy religijne, narodowe i etniczne po prostu istnieją i wytwarzają u swych członków silną więź lojalności, którą trzeba tylko nieco rozluźnić, by zrobić miejsce dla patriotyzmu i wspólnych obowiązków obywatelskich.

Jeśli jednak grupy te są słabe i potrzebują pomocy (co, jak spróbuję wykazać w epilogu, zachodzi w warunkach amerykańskich), to niezbędna jest postawa będąca jakimś połączeniem zaciekawienia i entuzjazmu. Dopiero takie motywacje mogą skłonić nas do udzielenia pomocy, której te grupy potrzebują. Wolne i wewnętrznie rozdarte jednostki w społeczeństwach demokratycznych nie będą mogły same jej udzielić ani upoważnić do tego władz państwowych, jeżeli nie dostrzegą doniosłej roli, jaką grupy (ich grupy i wszystkie pozostałe) odgrywają w procesie formowania się tożsamości jednostek takich jak one – jeżeli nie uświadomią sobie, że celem tolerancji nie jest ani nigdy nie było zniesienie opozycji „my" i „oni" (ani z pewnością zniesienie „ja"), lecz stworzenie trwałych podstaw pokojowej koegzystencji i współdziałania. Podzielone jaźnie ponowoczesności komplikują tę koegzystencję, lecz zarazem jest ona warunkiem ich formowania się i samorozumienia.

REFLEKSJE O AMERYKAŃSKIEJ WIELOKULTUROWOŚCI

W społeczeństwie amerykańskim działają współcześnie dwie potężne siły odśrodkowe. Jedna z nich odrywa całe zbiorowości ludzkie od rzekomo wspólnego rdzenia, druga rozrzuca na wszystkie strony poszczególne jednostki. Każdy z tych odśrodkowych, separatystycznych ruchów ma swoich krytyków, którzy twierdzą, że pierwszy z nich jest napędzany przez ciasny szowinizm, a drugi przez czysty egoizm. W oczach tych krytyków odseparowane grupy przypominają zamknięte i nietolerancyjne plemiona, a odseparowane jednostki – wykorzenionych, samotnych i nieznośnych egotyków. Żaden z tych poglądów nie jest z gruntu błędny, ale i żaden nie jest w pełni słuszny. Te dwa ruchy trzeba rozpatrywać łącznie, na tle imigranckiego społeczeństwa i demokratycznej polityki, które wspólnie umożliwiają działanie tych odśrodkowych sił. Interpretowane w tym kontekście, siły te wydają mi się – wbrew prawom fizyki – remedium jedna dla drugiej.

Pierwsza z tych sił stanowi coraz potężniejszą artykulację grupowej różnicy. Nowa jest oczywiście artykulacja, albowiem sama różnica – pluralizm, a nawet wielokulturowość – cechowała amerykańskie życie już w najwcześniejszym okresie. W „Federalist Papers" (nr 2) John Jay charakteryzuje Amerykanów jako naród „pochodzący od tych samych przodków, mówiący tym samym językiem, wyznający tę samą religię, przywiązany do tych samych zasad sprawowania władzy, przestrzegający bardzo podobnych reguł zachowania i zwyczajów". Słowa te nie odpowiadały faktycznemu stanowi rzeczy już wówczas, gdy Jay je pisał: w latach osiemdziesiątych XVIII wieku i miały stać się całkowicie nieprawdziwe w wieku następnym. Masowy napływ imigrantów zmienił Stany Zjednoczone w kraj wielu przodków, języków, religii, zwyczajów i obyczajów. Zasady polityczne i reguły tolerancji – tylko one konstytuują jedyną trwałą więź łączącą nas wszystkich. Demokracja i wolność wyznaczają granice i określają podstawowe zasady amerykańskiego pluralizmu.

Rozróżnienia, które wprowadziłem, konstruując typologię różnych form ustrojowych, mogą pomóc w zrozumieniu radykalnego charakteru tego pluralizmu. Rozważmy najpierw (względnie) jednorodne państwa narodowe, takie jak Francja, Holandia,

Norwegia, Niemcy, Japonia i Chiny, w których – jakiekolwiek byłyby różnice regionalne – zdecydowana większość obywateli ma jedną, wspólną tożsamość etniczną i uroczyście sławi swoją wspólną historię. Weźmy, z drugiej strony, opartą na podziałach terytorialnych heterogeniczność dawnych wielonarodowych imperiów oraz państw, które są ich współczesnymi spadkobiercami – takich jak była Jugosławia, nowa Etiopia, nowa Rosja, Nigeria, Irak, Indie itd. – gdzie liczne mniejszości etniczne i religijne domagają się swych dawnych macierzystych ziem (nawet jeśli ich granice były zawsze przedmiotem sporów). Stany Zjednoczone wyraźnie odróżniają się od obu tych typów państw: nie są jednorodne narodowo ani regionalnie; heterogeniczność występuje na całym obszarze USA – kraju rozproszonej odmienności, który dla nikogo (poza przedstawicielami ludności tubylczej, jacy pozostali) nie jest ziemią macierzystą. Oczywiście istnieją pewne lokalne wzorce segregacji, stworzone świadomie lub bezwiednie; istnieją obszary jednorodne etnicznie oraz miejsca niezbyt ściśle, ale sugestywnie nazywane „gettami". Jednak żadna z grup istniejących w naszym społeczeństwie, jeśli pominąć wyjątek, jaki tylko po części i przejściowo stanowią mormoni w stanie Utah, nie osiągnęła nigdy trwałej dominacji na jakimś obszarze geograficznym. Nie ma amerykańskiej Słowenii, Quebec czy Kurdystanu. Nawet w środowiskach najbardziej starających się zabezpieczyć przed zewnętrznymi wpływami Amerykanie doświadczają różnicy każdego dnia.

A jednak pełna, autentyczna artykulacja różnicy w Stanach Zjednoczonych jest stosunkowo nowym zjawiskiem. Długa historia przesądów, podporządkowania i lęku nie sprzyjała publicznej afirmacji „reguł zachowania i zwyczajów" mniejszości i skutecznie przesłaniała radykalny charakter amerykańskiego pluralizmu. Nie chciałbym przemilczać tutaj wstydliwych aspektów tej historii. Jej skrajne wątki opowiadają o dziejach brutalnej przemocy, o czym mogą zaświadczyć rdzenni mieszkańcy Ameryki i czarni niewolnicy przywiezieni z kontynentu afrykańskiego, ale główny nurt, raczej w odniesieniu do religii i pochodzenia etnicznego aniżeli do rasy, przebiegał stosunkowo łagodnie. Imigranckie społeczeństwo przychylnie witało nowych imigrantów, a przynajmniej nie zamykało przed nimi drzwi; tolerowało ich wierzenia i praktyki, okazując im niechęć w sposób bardzo powściągliwy na tle stosunków panujących w innych częściach świata. Niemniej jednak wszystkie mniejszości amerykańskie uczyły się żyć, nie manifestując swej obecności: aż do niedawna bojaźliwość była charakterystycznym rysem strategii działania grup mniejszościowych. Pełna świadomość tego, co oznacza życie wśród imigrantów, narastała bardzo powoli.

Pamiętam na przykład, jak jeszcze w latach trzydziestych i czterdziestych XX wieku wszelkie przejawy żydowskiej asertywności – nawet pojawienie się „zbyt wielu" żydowskich nazwisk wśród działaczy partii demokratycznej czasów Nowego Ładu, organizatorów związków zawodowych czy socjalistycznych i komunistycznych intelektualistów – budziły wśród Żydów zbiorowy niepokój. Przywódcy wspólnoty mówili: „Sza!". Nie róbcie hałasu; nie zwracajcie na siebie uwagi; nie wysuwajcie się na pierwszy plan; nie mówcie nic prowokacyjnego. W taki właśnie sposób rozumieli radę, którą przed dwoma tysiącami lat przekazał prorok Jeremiasz pierwszym żydowskim wygnańcom w Babilonii i która miała być odtąd wielokrotnie powtarzana: „Starajcie się o pomyślność w kraju, do którego was zesłałem" (Jr 29,7) – to znaczy, bądźcie lojalni wobec tamtejszych rządów i nie manifestujcie swej obecności w sferze politycznej. Żydowscy imigranci uważali się za wygnańców, gości (prawdziwych) Amerykanów jeszcze długo po tym, jak stali się obywatelami USA.

Obecnie wszystko to, jak zwykło się mawiać, należy do przeszłości. Stany Zjednoczone lat dziewięćdziesiątych są społecznie, choć nie ekonomicznie, daleko bardziej egalitarnym krajem niż przed pięćdziesięciu czy sześćdziesięciu laty. Rozróżnienie równości społecznej i ekonomicznej jest bardzo istotne – wrócę do niego nieco później; w tym miejscu chciałbym skoncentrować się głównie na aspektach społecznych. Nikt nie próbuje nas już uciszać;

nikt nie jest nękany ani się nie ukrywa. Dawne tożsamości rasowe i religijne odgrywają bardzo znaczącą rolę w naszym życiu publicznym, dołączyły
kwestie płci i preferencji seksualnych, a obecna fala
imigrantów z Azji i Ameryki Łacińskiej prowadzi do
powstawania znaczących nowych różnic wśród fak-
tycznych i potencjalnych obywateli Stanów Zjednoczonych. I wszystko to, jak się wydaje, jest artyku-
łowane przez cały czas. Głosy są donośne, akcenty
zróżnicowane, a wynikiem nie jest harmonia – jak
w dawnym wizerunku pluralizmu jako symfonii,
w której każda z grup gra na własnym instrumen-
cie (ale kto komponuje muzykę?) – lecz jazgotliwy
dysonans. Przypomina to wewnętrzne spory protestanckich dysydentów w początkach reformacji,
z mnogością sekt przechodzących kolejne podziały i pokaźną liczbą przekrzykujących się proroków
i kandydatów na nich. Stąd zasadnicze znaczenie
tolerancji jako kwestii politycznej widoczne w ha-
łaśliwych sporach o poprawność polityczną, mowę
nienawiści, wielokulturowe programy nauczania,
pierwszy i drugi język, imigrację itd.

   W reakcji na tę kakofonię inna grupa proroków
– liberalni i neokonserwatywni intelektualiści, aka-
demicy i dziennikarze – załamuje ręce w rozpaczy
i zapewnia nas, że kraj się rozpada, że nasz żywio-
łowo artykułowany pluralizm wprowadza niebezpieczne podziały i że istnieje paląca potrzeba przy-
wrócenia hegemonii jednej kultury. Co ciekawe,

tę rzekomo niezbędną i koniecznie jedną kulturę charakteryzuje się często jako kulturę wysoką – jak gdyby nasze wspólne przywiązanie do Szekspira, Dickensa i Jamesa Joyce'a stanowiło więź spajającą nasze społeczeństwo przez wszystkie te lata. Tymczasem kultura wysoka nas dzieli, tak jak zawsze nas dzieliła – i prawdopodobnie będzie dzieliła społeczeństwo każdego kraju o silnej tendencji egalitarystycznej i populistycznej. Czy nikt nie pamięta już książki Richarda Hofstadtera *Anti-Intellectualism in American Life*[1]? Ruchy polityczne dążące do jedności będą rozbudzać raczej pospolity, nieautentyczny natywizm, którego kulturowa treść jest z pewnością uboga. Ruchy te nie odwołują się do żadnego kanonu literackiego czy filozoficznego. Myślę jednak, że istnieje lepszy sposób reagowania na pluralizm: jest nim sama demokratyczna polityka, w której ramach wszyscy członkowie wszystkich grup są (zasadniczo) równymi obywatelami mającymi nie tylko spierać się ze sobą, ale również dochodzić w jakiś sposób do porozumienia. To, czego się nauczą w trakcie niezbędnych negocjacji i zawierania kompromisów, jest prawdopodobnie ważniejsze od wszystkiego, co mogliby wynieść ze studiowania tego kanonu. Powinniśmy zastanawiać się nad tym, jak rozwijać tę praktyczną, demokratyczną wiedzę.

---

[1] Richard Hofstadter, *Anti-Intellectualism in American Life* (Knopf, New York 1963).

Czy jednak nie jest ona już dostatecznie rozwinięta – zważywszy, że wielokulturowe konflikty występują na demokratycznej arenie i wymagają od zwaśnionych stron szerokiego wachlarza swoiście demokratycznych umiejętności i metod działania? Badając historię stowarzyszeń etnicznych, rasowych i religijnych w Stanach Zjednoczonych, można, jak sądzę, dostrzec, że służyły one zawsze indywidualnej i grupowej integracji – mimo (a może z powodu) konfliktów politycznych, które wywoływały[2]. Nawet jeśli celem działalności tych stowarzyszeń jest podtrzymywanie różnicy, to trzeba go realizować w warunkach amerykańskich, co na ogół prowadzi do nowych, niezamierzonych form społecznego różnicowania. Przytaczałem już przykład tego zjawiska: proces, w wyniku którego amerykańscy katolicy i Żydzi zaczynają odróżniać się nie tyle od siebie nawzajem czy od protestanckiej większości, ile raczej od katolików i Żydów z innych krajów.

---

[2] Irving Howe formułuje taką samą tezę w odniesieniu do lewicowych stowarzyszeń politycznych w książce *Socialism and America* (Harcourt Brace Jovanovich, San Diego 1985), w której opisuje, jak radykalni działacze socjalistyczni stawali się organizatorami i aktywistami związków zawodowych, a następnie uczestniczyli jako etatowi funkcjonariusze w lokalnych i ogólnokrajowych kampaniach wyborczych Partii Demokratycznej. Ta wizja socjalizmu jako szkoły przygotowującej do uczestnictwa w głównym nurcie życia politycznego jest, jak twierdzi Howe, słabą pociechą dla socjalistów. Włączanie się w główny nurt życia politycznego jest często bolesnym doświadczeniem. Zob. tamże, s. 78–81 i 141.

Grupy mniejszościowe przystosowują się do miejscowej kultury politycznej: stają się Amerykanami z dywizem. I choć ich głównym celem są samoobrona, tolerancja, prawa obywatelskie i własne miejsce pod słońcem, to konsekwencją jego skutecznej realizacji jest jeszcze wyraźniejsza amerykanizacja wszelkich bronionych różnic.

Taki sam los staje się jednak udziałem grup „natywistycznych" i większościowych: one także muszą przystosowywać się do Ameryki, która zapełniła się obcymi. Wyobrażając sobie siebie jako prawdziwych Amerykanów, również oni podlegają stopniowej i bolesnej „amerykanizacji". Nie chcę przez to powiedzieć, że różnice spokojnie się akceptuje i spokojnie się ich broni. Spokój nie należy do naszych obyczajów politycznych; stawanie się Amerykaninem oznacza często, że uczymy się tego, jak nie milczeć. Sukces, o który zabiega jedna z grup, nie zawsze daje się pogodzić z pomyślnością wszystkich (lub którejś z) pozostałych grup. Konflikty są realne i nawet czyjeś niewielkie sukcesy mogą rodzić poważne zagrożenia. Ważny jest następujący punkt: tolerancja kładzie kres prześladowaniom i bojaźliwości, ale nie jest formułą społecznej harmonii. Grupy, które od niedawna korzystają z przywilejów tolerancji, jeśli istotnie się różnią, będą często także antagonistyczne i będą szukać politycznej dominacji.

Większe trudności biorą się jednak z niekorzystnego położenia i porażki, zwłaszcza powtarzającej się. To właśnie słabość grupowych stowarzyszeń oraz lęki i resentymenty, dla których stanowi ona dogodną pożywkę, popychają ludzi ku niebezpiecznym działaniom i dają początek nowym formom nietolerancji i bigoterii – których przejawem są np. nieprzejednane, purytańskie wersje „poprawności politycznej" czy radykalne roszczenia wywiedzione z etnicznych i rasowych mitologii. Najbardziej hałaśliwe grupy w naszej współczesnej kakofonii oraz grupy wysuwające najbardziej radykalne żądania są zarazem grupami najsłabszymi i najuboższymi. Ludzie ubodzy we współczesnych miastach amerykańskich, którzy najczęściej należą do grup mniejszościowych, nie potrafią stworzyć spójnych form wspólnego działania. Hasła wzywające do wzajemnej pomocy, zachowywania kulturowej odrębności i obrony własnych praw są hałaśliwie afirmowane, ale nie mogą się doczekać skutecznej realizacji. Współcześni ubodzy nie dysponują silnie zakorzenionymi czy zasobnymi instytucjami, które mogłyby zogniskować ich siły albo dyscyplinować samowolne jednostki. Są pozbawieni jakiejkolwiek społecznej osłony i całkowicie bezbronni.

To, co stało się w Stanach Zjednoczonych w ostatnich dziesięcioleciach, jest nieoczekiwane i niepokojące – ale i może podnoszące na duchu z powodów, które chciałbym wyjaśnić. Ekonomiczne rozwarstwienie społeczeństwa USA wzrosło mimo zmniejszania się rozwarstwienia społecznego; nierówność dochodów i zasobów jest obecnie większa niż przed pięćdziesięciu laty. Nie doprowadziło to jednak do równoległego wytworzenia się na czwartym czy piątym niższym piętrze hierarchii społecznej „właściwej" świadomości, mentalnego odzwierciedlenia poniesionej klęski: rezygnacji i podporządkowania. Nie pojawiła się dominująca kultura uległości czy jakaś grupa ludzi wykazujących moralną gotowość do podporządkowania się i cierpienia bez skargi niczym „godni nędzarze" z – jak się wydaje – bezpowrotnie minionej przeszłości. Albo też jeśli tacy ludzie istnieją, to są bardziej niż kiedykolwiek niewidoczni – ich dążenia nie znajdują żadnej formy artykulacji ani reprezentacji w sferze kultury czy polityki. To, co widzimy, jest z pewnością przygnębiające: rzesza wykluczonych, bezsilnych i często zdemoralizowanych jednostek, w których imieniu przemawiają – i które wykorzystują – coraz liczniejsi religijni i rasowi demagodzy czy charyzmatyczni hochsztaplerzy. Ale przynajmniej ci ludzie nie milczą zdławieni, złamani, tak że trudno oprzeć się wrażeniu, iż co najmniej niektórzy z nich mogliby zostać poddani bardziej udanej mobilizacji w innym środowisku politycznym.

Środowisko polityczne jest jednak takie, jakie jest, i nie daje szczególnych podstaw do optymistycznych prognoz na najbliższe lata. Słabość jest powszechną, choć niejednakową dla wszystkich grup bolączką działalności stowarzyszeń w dzisiejszej Ameryce; każdy program politycznej odnowy musi wychodzić od tego faktu. Związki zawodowe, Kościoły, grupy interesu, organizacje etniczne, partie polityczne i wyznania, towarzystwa samodoskonalenia i dobroczynności, lokalne instytucje filantropijne, kluby sąsiedzkie i spółdzielnie, religijne sodalicje, bractwa i wspólnoty żeńskie: amerykańskie społeczeństwo obywatelskie charakteryzuje niezwykła różnorodność. Większość z tych stowarzyszeń opiera się jednak na niepewnych podstawach, korzysta ze skromnych funduszy i jest stale zagrożona ryzykiem upadku. Mają one również znacznie mniejszy zasięg i węższe prerogatywy niż ongiś[3]. Liczba Amerykanów, którzy są niezrzeszeni, bierni i pozbawieni ochrony (choć

---

[3] Tak argumentuje Robert Putnam w kilku artykułach, które nie zostały jeszcze opublikowane w formie książkowej. Słyszałem głosy krytyków twierdzących, że w rzeczywistości we współczesnej Ameryce dynamicznie rozwijają się pewne stowarzyszenia – takie jak różnorodne zrzeszenia samopomocowe świadczące usługi swoim członkom (np. Amerykańskie Stowarzyszenie Emerytów), grupy terapeutyczne (Anonimowi Alkoholicy), sieci w cyberprzestrzeni i tak dalej. Nie jest jednak jasne, czy grupy te potrafią przygotowywać i dyscyplinować swoich członków do wspólnego działania równie skutecznie, jak czyniły to partie, ruchy społeczne i Kościoły, którym w głównej mierze są poświęcone rozważania Putnama. Zob. jego *Bowling Alone: America's Declining Social Capital*, „Journal of Democracy", 6 (styczeń 1995), s. 65–78.

wciąż niezadowoleni i hałaśliwi), stale rośnie. Dlaczego tak jest?

Odpowiedź na to pytanie ma pewien związek z drugą spośród odśrodkowych sił działających we współczesnym społeczeństwie amerykańskim. W naszym kraju istnieje nie tylko pluralizm grup, ale też pluralizm jednostek; amerykańskie rządy tolerancji skupiają się, jak już wiemy, raczej na prywatnych wyborach i stylach życia jednostek niż na wspólnych sposobach życia. Prawdopodobnie jest to najbardziej indywidualistyczne społeczeństwo w dziejach ludzkości. W porównaniu z dawnymi społeczeństwami Starego Świata korzystamy z radykalnie poszerzonego zakresu wolności. Możemy sami układać sobie los, planować życie, wybierać karierę zawodową, życiowego partnera (lub kolejnych partnerów), wyznanie (lub brak wyznania), postawę polityczną (albo postawę antypolityczną), styl życia (dowolny styl) – możemy „robić, co nam się żywnie podoba". Wolność osobista i radykalne formy tolerancji, które się z nią wiążą, są niewątpliwie najbardziej niezwykłą zdobyczą „nowego porządku dziejowego" upamiętnionego w Wielkiej Pieczęci Stanów Zjednoczonych. Obrona tej wolności przed zakusami purytanów i bigotów należy do trwałych wątków amerykańskiego życia politycznego i do jego najbardziej radosnych wydarzeń; sławienie tej wolności, a także indywidualizmu i twórczej aktywności, na które ona pozwala, jest jednym z trwałych tematów naszej literatury.

Wolność osobista nie jest wszelako źródłem nie-zmąconej radości, ponieważ liczni Amerykanie nie mają środków ani możliwości „robienia, co im się żywnie podoba" ani nawet nie wiedzą, co mogliby robić. Stwarzanie takich możliwości jest znacznie częściej osiągnięciem rodzin, klas i wspólnot niż jednostek. Zasoby materialne wymagają gromadzenia wspólnym wysiłkiem przez całe pokolenia. A bez tych zasobów jednostki borykają się z przytłaczającymi trudnościami stwarzanymi przez chaos ekonomiczny, klęski żywiołowe, błędną politykę rządu i kryzysy osobiste. Wiele osób codziennie znosi gorycz porażki. Ludzie ci nie mogą liczyć na stałą czy znaczącą pomoc ze strony swoich rodzin czy wspólnot. Często uciekają od rodziny, klasy bądź wspólnoty, szukając w nowym świecie nowego życia i nowej tożsamości. Jeśli powiedzie im się ta ucieczka, nigdy nie oglądają się za siebie; jeśli zaś muszą obejrzeć się za siebie, zobaczą zapewne, że ludzie, których opuścili, ledwie wiążą koniec z końcem. Są to wyzwania ponowoczesności, które jednak stają się nader często kanwą smutnej opowieści – a raczej wielu podobnych, choć wzajemnie niepowiązanych smutnych opowieści.

Zastanówmy się przez chwilę nad kulturowymi (etnicznymi, rasowymi i religijnymi) grupami, które tworzą naszą rzekomo nieokiełznaną i wywołującą głębokie podziały wielokulturowość. Każda z nich jest dobrowolnym stowarzyszeniem, którego rdzeń stanowią żarliwi bojownicy, działacze i wyznawcy, a rozległe peryferia wypełniają mniej aktywni członkowie, w praktyce kulturowi gapowicze. Przypisują sobie pewną tożsamość (lub kilka tożsamości), której nigdy nie musieli okupić pieniędzmi, czasem ani nakładem energii. Kiedy znajdą się w tarapatach, szukają pomocy u innych ludzi o podobnej tożsamości. Ale wsparcie, jakie mogą z ich strony otrzymać, jest niepewne, ponieważ te tożsamości są przeważnie niezasłużone, bez głębi. Jednostki błądzące nie są rzetelnymi członkami. Naszych grup kulturowych nie otaczają żadne granice ani, rzecz jasna, nikt nie stoi na ich straży. Każdy może według życzenia uczestniczyć lub nie uczestniczyć w życiu wspólnoty, przychodzić i odchodzić, wycofywać się całkowicie lub po prostu znikać na jej dalekich peryferiach. Można swobodnie wnikać do innych kultur, penetrować i przekraczać wszelkiego rodzaju granice. Ta wolność, powtórzmy raz jeszcze, należy do zalet życia w społeczeństwie imigranckim, ale nie stwarza sprzyjających warunków do powstawania silnych czy spójnych stowarzyszeń. W ostatecznym rozrachunku nie jestem pewien, czy sprzyja formowaniu się silnych i ufnych we własne siły jednostek.

Statystyczne wskaźniki odchodzenia od kulturowych stowarzyszeń i tożsamości na rzecz dążenia do osobistego szczęścia (albo desperackich prób ekonomicznego przetrwania) są obecnie tak wysokie, że wszystkie grupy zastanawiają się gorączkowo, jak zatrzymać mniej zaangażowanych członków i zapewnić sobie perspektywy na przyszłość. Wszystkie zajmują się nieustannie zbieraniem funduszy, werbują członków, rozpaczliwie zabiegają o pracowników, sojuszników i poparcie, ogłaszają apele przestrzegające przed zagrożeniami asymilacji, małżeństw mieszanych, odchodzenia od własnej wspólnoty, bierności. Pozbawione władzy opartej na przymusie i niepewne skuteczności swojego oddziaływania, niektóre z nich domagają się programów rządowych (przekazywania konkretnych prerogatyw bądź systemów kwotowych), które pozwoliłyby im dyscyplinować członków. Z punktu widzenia tych grup realną alternatywą dla wielokulturowej tolerancji nie jest silny, wyraźnie zdefiniowany amerykanizm (jak gdyby Stany Zjednoczone były państwem narodowym Starego Świata), ale pusty bądź nasycony przypadkowymi treściami indywidualizm, wielki odpływ szczątków ludzkich wspólnot od każdego twórczego centrum.

Jest to, raz jeszcze, zbyt jednostronny sposób widzenia wolności jednostki w społeczeństwie imigranckim, ale nie do końca fałszywy. Wbrew pozorom najistotniejszego konfliktu w życiu współczesnego amerykańskiego społeczeństwa nie stanowi bowiem konflikt między wielokulturowością a jakąś formą kulturowej hegemonii lub homogeniczności czy między pluralizmem a jednorodnością, między jednością a wielością. Jesteśmy raczej uwikłani w swoiście nowoczesny i ponowoczesny konflikt między różnorodnością grup i jednostek. I jest to konflikt, w którym nie mamy innego wyboru niż uznać wartość obu ścierających się stron. Te dwa pluralizmy czynią kraj tym, czym on jest, a raczej bywa, i ustanawiają wzorce wskazujące, czym być powinien. Rozpatrywane łącznie, lecz tylko łącznie, są całkowicie zgodne z powszechnym obywatelstwem demokratycznym.

Spróbujmy zastanowić się teraz nad coraz większą izolacją jednostek we współczesnym społeczeństwie amerykańskim. Nie ulega wątpliwości, że powinniśmy niepokoić się procesami, które powodują rozpad i są jego skutkiem (nawet jeśli niektóre z nich to zarazem procesy emancypacyjne). Należą do nich[4]:

– duża liczba rozwodów ze stałą tendencją wzrostową, która dopiero od niedawna wydaje się utrzymywać na stałym poziomie;
– stale rosnąca liczba dzieci wychowywanych przez samotne matki, często kobiety w zastraszająco młodym wieku;

---

[4] Większość informacji, które podaję w tym wyliczeniu, pochodzi z: *Statistical Abstract of the United States: 1994*, wyd. 114 (Washington D.C. 1994) opublikowanego przez U.S. Bureau of the Census; zob. też wartościowe opracowanie Andrew Hackera *U/S: A Statistical Portrait of the American People* (Viking, New York 1983).

– niedawny wzrost liczby przypadków wykorzystywania i porzucania dzieci;

– rosnąca liczba osób żyjących samotnie (w czymś, co spis ludności określa jako „jednoosobowe gospodarstwo domowe");

– spadek liczby członków związków zawodowych, starszych, bardziej zinstytucjonalizowanych Kościołów (choć zwiększają się szeregi wyznawców w Kościołach ewangelickich i sektach), towarzystw filantropijnych, komitetów rodzicielskich i klubów sąsiedzkich;

– długotrwały spadek liczby głosujących w wyborach i lojalnych wobec partii (może najbardziej dramatyczny w wyborach lokalnych);

– wysoki wskaźnik ruchliwości geograficznej, co podcina trwałe więzi sąsiedzkie;

– nagłe pojawienie się bezdomnych i

– wzbierająca fala przypadkowej przemocy.

Widoczne utrzymywanie się wysokiego poziomu bezrobocia i niepełnego zatrudnienia wśród ludzi młodych i członków grup mniejszościowych nasila wszystkie te procesy i zaostrza ich skutki. Bezrobocie kruszy więzi rodzinne, odcina od związków zawodowych i grup interesu, drenuje zasoby finansowe wspólnot, prowadzi do politycznej alienacji i wycofywania się oraz zwiększa pokusę wejścia na drogę przestępczą. Stare przysłowie o bezczynnych rękach, dla których diabeł znajdzie zajęcie, niekoniecznie jest prawdziwe, ale staje się prawdziwe, ilekroć bezczynność jest stanem, którego nikt nie wybrałby z własnej woli.

Skłonny jestem sądzić, że ogólnie biorąc, procesy te są daleko bardziej niepokojące niż wielokulturowa kakofonia – już choćby dlatego, że w demokratycznym społeczeństwie wspólne działanie jest lepsze od wycofywania się i samotności, tumult jest lepszy od bierności, a wspólne dążenia (nawet te, których nie aprobujemy) są lepsze od osobistego zobojętnienia. Ponadto jest przypuszczalnie prawdą, że wiele z tych odizolowanych społecznie jednostek wykazuje podatność na skrajnie prawicowe, ultranacjonalistyczne, fundamentalistyczne lub ksenofobiczne hasła wzywające do działań, których w miarę możności demokracje powinny się wystrzegać. Oczywiście są dziś pisarze twierdzący, że sama wielokulturowość jest produktem działalności prowadzonej pod takimi hasłami: w ich przekonaniu amerykańskie społeczeństwo jest nie tylko bliskie rozpadu, ale znajduje się wręcz na krawędzi „bośniackiej" wojny domowej[5]. W rzeczywistości byliśmy jak dotąd jedynie świadkami zawoalowanych przejawów polityki wyraźnie szowinistycznej

---

[5] Jest to przejaskrawiona interpretacja argumentów, które Arthur M. Schlesinger jr wysunął w książce *The Disuniting of America* (Norton, New York 1992), ale nie komentarzy, jakie pojawiły się po jej opublikowaniu – w radiu i w telewizji, w prasie codziennej, w ilustrowanych magazynach itd.

i rasistowskiej. Amerykanie angażują się częściej w dziwaczne kulty religijne niż w skrajnie prawicowe grupy polityczne (choć grupy te czasami się nakładają). Znajdujemy się w stadium, w którym nadal możemy wykorzystać pluralizm grup do ratowania pluralizmu odizolowanych jednostek.

Jednostki stają się mocniejsze, zyskują wiarę we własne siły i zaczynają więcej rozumieć, gdy uczestniczą w jakimś wspólnym życiu, gdy są odpowiedzialne za i wobec innych ludzi. Nie ulega wątpliwości, że taka zależność nie zachodzi w każdym wspólnotowym życiu; nie zalecałbym nikomu angażowania się w te dziwaczne kulty religijne – choć nawet one wymagają tolerancji w pewnych granicach wyznaczanych przez nasze zapatrywania na prawa i obowiązki obywatelskie oraz uprawnienia jednostki. Kto miał okazję doświadczyć na własnej skórze życia w takich grupach, wyjdzie zapewne z tych doświadczeń umocniony i lepiej przygotowany do uczestnictwa w bardziej umiarkowanych formach wspólnotowości. Tylko bowiem w ramach aktywności wspólnotowej jednostki mogą się nauczyć dyskutować, prowadzić spory, podejmować decyzje i brać na swoje barki odpowiedzialność. Jest to stary argument, po raz pierwszy sformułowany w obronie protestanckich kongregacji i tajnych zgromadzeń, które jak wiemy, stały się w dziewiętnastowiecznej Wielkiej Brytanii szkołą demokracji mimo niezwykle silnych i ograniczających więzów, jakie tworzyły, i niejednokrotnie wyrażanego powątpiewania w możliwość zbawienia niewierzących[6]. Przynależność do tych kongregacji faktycznie przynosiła wybawienie jednostkom – wybawienie od izolacji, samotności, poczucia niższości, nawykowej bierności, niekompetencji i pewnego rodzaju moralnej pustki – i uczyniła z nich wartościowych obywateli. Prawdą jest oczywiście również to, że silny indywidualizm tych samych użytecznych obywateli uchronił społeczeństwo brytyjskie przed represjami protestanckimi: właśnie na tym miała w znacznej mierze polegać ich użyteczność.

Żadna forma rządów tolerancji nie może jednak opierać się wyłącznie na takich „silnych" jednostkach, ponieważ są one produktem wspólnotowego życia i nie będą mogły samodzielnie odtworzyć więzi, którym zawdzięczają swą siłę. Musimy zatem podtrzymywać i umacniać więzi wspólnotowe, nawet jeśli łączą one tylko niektórych z nas z niektórymi innymi, a nie każdego z wszystkimi innymi. Można to robić na wiele sposobów. Najważniejszą rolę odgrywają programy rządowe, które tworzą nowe miejsca pracy oraz finansują i wspierają akcję organizowania związków zawodowych. Bezrobocie jest bowiem przypuszczalnie najbardziej niebezpieczną postacią rozpadania się więzi społecznych,

---

[6] A.D. Lindsay, *The Modern Democratic State*, t. 1 (tom 2 się nie ukazał) (Oxford University Press, London 1943), rozdział 5.

a związki zawodowe są nie tylko praktyczną szkołą demokratycznej polityki, ale również środkiem
oddziaływania „sił równoważących" w gospodarce
oraz formą lokalnej solidarności i wzajemnej pomocy[7]. Niemal równie istotne są programy umacniające
życie rodzinne nie tylko w jego tradycyjnych, lecz
również w niekonwencjonalnych wersjach – w każdej wersji tworzącej stałe związki międzyludzkie
i sieci wzajemnego oparcia.

Chciałbym jednak skoncentrować się raz jeszcze
na stowarzyszeniach kulturalnych, bo obecnie uważa się je za szczególnie niebezpieczne. Wydaje mi
się, że właśnie ich słabość, a nie siła, stanowi zagrożenie dla naszego wspólnego życia. Jednym
z powodów upadku związków zawodowych we
współczesnej Ameryce jest zanik specyficznej kultury robotniczej – lub raczej całego zbioru kultur
robotniczych (irlandzkiej, włoskiej, słowiańskiej,
skandynawskiej itd.), które leżały u podłoża rady-
kalizmu świata pracy pod koniec XIX i na początku
XX wieku. Aby wspólnie działać przez dłuższy czas,
ludzie potrzebują więzi mających źródło w języku
i pamięci, w znanych rytuałach dni odświętnych
i żałobnych, we wspólnych praktykach, a nawet we
wspólnych zabawach i pieśniach. Religia obywatel-

---

[7] Zob. John Kenneth Galbraith, *American Capitalism: The
Concept of Countervailing Power* (Houghton Mifflin, Boston
1952), oraz Richard B. Freeman i James L. Medoff, *What Do
Unions Do?* (Basic Books, New York 1984).

ska zapewnia niektóre z tych więzi wszystkim obywatelom, ale witalność i dyscyplina społeczeństwa
imigranckiego zależy od silniejszych więzi wytwa-
rzanych przez grupy wchodzące w jego skład. Po-
trzebujemy zatem więcej, a nie mniej stowarzyszeń
kulturalnych, silniejszych przy tym i bardziej spójnych, o szerszym zakresie odpowiedzialności.

Tego rodzaju stowarzyszenia nie są przedmiotem tolerancji w społeczeństwach imigranckich, ale
mogą stać się przedmiotem – a lepiej celem – polityki rządu. Rozważmy na przykład aktualnie rea-
lizowany pakiet programów federalnych – obejmu-
jący zwolnienia podatkowe, przyznawanie grantów
i subsydiów oraz przekazywanie uprawnień – które
pozwalają wspólnotom religijnym prowadzić własne szpitale, domy spokojnej starości, szkoły, przed-
szkola i ośrodki pomocy rodzinnej. Są to społeczności opiekuńcze w ramach zdecentralizowanego
(i wciąż rozwijającego się) amerykańskiego państwa
opiekuńczego. Pieniądze z podatków wykorzystuje
się do wspierania organizacji dobroczynnych w taki
sposób, aby wzmocnić różnorodne wzorce wzajemnej pomocy i reprodukcji kulturowej powstają-
ce spontanicznie w społeczeństwie obywatelskim.
Wzorce te wymagają jednak poważnego rozszerzenia, ponieważ obecnie obejmują w zdecydowanie
nierównym stopniu różne środowiska. Państwo powinno roztoczyć opiekę nad większą liczbą grup: nie
tylko religijnych, ale również rasowych i etnicznych

(a czemu nie związków zawodowych, kooperatyw i stowarzyszeń pracodawców i pracobiorców?).

Musimy stworzyć również innego rodzaju programy, w ramach których rząd mógłby udzielać pośredniego wsparcia obywatelom działającym bezpośrednio we wspólnotach lokalnych: programy te mogłyby obejmować „szkoły o własnym statucie" zaprojektowane i prowadzone przez nauczycieli i rodziców, samorządy lokatorów i wspólne wykupywanie publicznych domów mieszkalnych, eksperymenty w zakresie akcjonariatu pracowniczego i kontroli pracowników nad fabrykami i przedsiębiorstwami, lokalne inicjatywy budowlane czy projekty zwalczania i zapobiegania przestępczości; komunalne muzea, kluby młodzieżowe, rozgłośnie radiowe i ligi sportowe. Tego rodzaju programy będą często prowadziły do powstawania lub umacniania się zaściankowych wspólnot i stwarzały konflikty wokół podziału środków budżetowych oraz lokalne walki o kontrolę nad przestrzenią polityczną i obsadę urzędowych stanowisk. Tolerancja – przypomnijmy raz jeszcze – nie jest formułą społecznej harmonii: legitymizuje uprzednio prześladowane lub niewidoczne grupy i otwiera przed nimi możliwość ubiegania się o dostępne środki finansowe. Obecność wielu takich grup będzie zarazem poszerzała przestrzeń polityczną, a także zwiększała liczbę i zakres kompetencji urzędowych stanowisk, stwarzając jednostkom szersze możliwości uczestniczenia w życiu publicznym.

A zaangażowane jednostki o rosnącym poczuciu skuteczności swych działań są naszym najlepszym zabezpieczeniem przed zaściankowością i nietolerancją grup, w których działają. Osoby zaangażowane w życie publiczne wykazują na ogół skłonność do angażowania się na wielu polach aktywności – działają w wielu stowarzyszeniach o zasięgu lokalnym i krajowym. Jest to jedno z najbardziej podstawowych odkryć nauk politycznych i socjologii (a zarazem jedno z najbardziej zaskakujących: jak ci ludzi znajdują na to wszystko czas?)[8]. Pomaga nam ono wyjaśnić powody, dla których zaangażowanie obywatelskie w społeczeństwie pluralistycznym podcina korzenie rasistowskich czy szowinistycznych afiliacji politycznych i ideologii. Ci sami ludzie pojawiają się na zebraniach związków zawodowych, spotkaniach lokalnych inicjatyw sąsiedzkich, zgromadzeniach przedwyborczych, w komitetach parafialnych i – co najpewniejsze – w kabinach do głosowania w dniu wyborów. Większość z nich to ludzie elokwentni, uparci, zręczni, pewni swego, o ukształtowanych poglądach. Jakieś tajemnicze połączenie odpowiedzialności, ambicji i wścibstwa każe im biegać z jednego zebrania na drugie. Wszyscy oni narzekają, że jest ich tak niewielu. Czy mała liczba takich osób stanowi nieuchronną

---

[8] Gabriel A. Almond i Sidney Verba, *The Civic Culture: Political Attitudes and Democracy in Five Nations* (Princeton University Press, Princeton, NJ 1963), zwłaszcza rozdział 10.

konieczność życia społecznego, tak iż wzrost liczby
stowarzyszeń mógłby tylko jeszcze bardziej nadwe-
rężyć siły tych kompetentnych ludzi? Podejrzewam,
że ekonomiści kładący nacisk na zasadnicze znaczenie popytu, mają bardziej optymistyczny pogląd
na ten „ludzki kapitał": pomnażajmy wyzwania dla
kompetentnych ludzi, a oni sami się pojawią. Pomnażajmy okazje do wspólnego działania, a pojawią
się działacze, którzy z nich skorzystają. Niewątpliwie pojawią się też osoby o wąskich horyzontach
i bigoteryjne, zainteresowane wyłącznie promowa-
niem własnej grupy, ale w miarę napływu chętnych
i różnicowania ich aktywności groźba dominacji za-
ściankowości i bigoterii będzie słabła.

Pewien rodzaj natarczywości jest charakterystyczną cechą tego, co kiedyś zapewne uznamy za
wczesną wielokulturowość; widać to szczególnie wyraźnie w najnowszych i najsłabszych, najuboższych
i najgorzej zorganizowanych grupach, w których
ekonomiczna deprywacja idzie w parze ze statusem
mniejszościowym, a przynależność klasowa jest, nie
całkowicie, ale w znacznym stopniu, funkcją rasy
i kultury. Natarczywość ta jest konsekwencją okresu, kiedy równość społeczną obiecaną (i w jakiejś
mierze zapewnianą) przez nasze rządy tolerancji
nieustannie podkopuje nierówność ekonomiczna.

Silniejsze organizacje, umiejące gromadzić środki finansowe i przynoszące rzeczywiste korzyści
swoim członkom, będą stopniowo nakłaniały te gru-

py do zaakceptowania wzajemnej tolerancji i inkluzywnej demokracji. Niewątpliwie istnieje pewnego rodzaju napięcie między członkami a obywatelami, między interesami partykularnymi a interesem wspólnym, jednak występuje tu również faktyczna ciągłość. Obywatele kierujący się interesem ogółu nie biorą się znikąd. Są członkami grup żywiących poczucie, że ich żywotne interesy zależą od losów kraju jako całości, przede wszystkim od samych rządów tolerancji, a następnie od ich szerszej linii politycznej. Dlatego starają się mieć udział w podejmowaniu decyzji na szczeblu ogólnokrajowym.

Jak pamiętamy, działo się tak już wcześniej, w okresie konfliktów etnicznych i klasowych. Gdy grupy konsolidują się, centrum kontroluje peryferia i przydaje im politycznej wagi. I tak wojowniczy związkowcy zaczynający od pikietowania fabryk i tworzenia komitetów strajkowych, obejmują potem funkcje w szkolnych komisjach i radach miejskich. A działacze religijni i etniczni bronią najpierw interesów swoich wspólnot, by na koniec wchodzić w koalicje polityczne, walczyć o miejsca na „zrównoważonych" listach wyborczych i mówić (co najmniej) o dobru wspólnym. Spójność grupy dodaje sił jej członkom, ambicje zaś i ruchliwość najbardziej energicznych spośród nich liberalizują grupę.

Niektórzy z tych członków opuszczą swoje grupy i przyłączą się do innych albo wybiorą skomplikowaną karierę na pograniczu kultur. Skorzystają

z możliwości stwarzanych przez rozpad więzi społecznych i mieszanie się odmiennych tożsamości.
Będą działać jako całkowicie wolne jednostki, za-
spokajając swoje materialne i duchowe potrzeby.
Jeśli zaś będą działać, czerpiąc z siły swej grupy, to
staną się również nosicielami kulturowych innowacji
i wzajemnego poznania. Ponowoczesnym wagabun-
dom, jeśli nie powracają na swe dawne miejsce, ale
żyją obok członków i obywateli, prawdopodobnie
nie grozi, że będą mówili tylko do siebie, nieustannie zaabsorbowani sobą; staną się raczej uczestnikami interesującego dialogu.

Dialog ten powinien być prowadzony wszędzie,
ale jest on szczególnie potrzebny w szkołach publicznych (oraz w publicznych i prywatnych college'ach
i uniwersytetach), które zapisały się w dziejach, przynajmniej największych społeczności imigranckich,
jako kolebka integracyjnych form stowarzyszania
się. Szkoły publiczne gromadzą dzieci rodziców
z różnych wspólnot religijnych i etnicznych – także
dzieci rodziców, którzy zerwali te więzi albo właśnie je zrywają. Zachowując teoretycznie neutralność
wobec wspólnot i jednostek, które opuściły ich szeregi, szkoły winny przedstawiać życzliwe ujęcie historii i filozofii naszych rządów tolerancji, które nie
mogą raczej zaprzeć się swych partykularnych (an-
gielsko-protestanckich) korzeni. Powinny propagować amerykańską religię obywatelską i kształtować
amerykańskich obywateli, rzucając nieuchronnie

wyzwanie wspólnotom kulturowym, którym obywatelstwo tego rodzaju jest obce.
Czy szkoły publiczne powinny robić coś więcej?
Czy powinny pomagać dzieciom w ucieczce z takich wspólnot i błądzeniu na własną rękę po świecie
kultury? Czy powinny dążyć do mnożenia waga-
bundów? Kusząca wydaje się oczywiście myśl, że
demokratyczna edukacja uczy krytycznego myślenia, a uczniowie potrafią dokonać niezależnej, najlepiej sceptycznej, oceny wszystkich ugruntowanych
systemów przekonań i praktyk kulturowych: czyż
krytycy nie są najlepszymi obywatelami[9]? Możliwe; w każdym razie potrzeba nam ich jak najwię-
cej. Może się jednak okazać, że nie będą oni najbardziej tolerancyjnymi obywatelami, że nie będą
skłonni okazywać rezygnacji czy obojętności wobec
zaściankowych lojalności swych współobywateli –
ani nawet zajmować wobec nich postawy stoickiej
akceptacji. Demokracje potrzebują krytyków, którzy
posiedli cnotę tolerancji, co przypuszczalnie oznacza krytyków o własnych lojalnościach i jakimś
poczuciu wartości życia wspólnotowego. Szkoły mogą być pomocne w spełnieniu tego drugiego
wymogu, po prostu uznając wielość kultur i ucząc
o różnych grupach (choćby bezkrytycznie: samo doświadczenie różnicy zainspiruje krytyczną wymianę
poglądów). System państwowy powinien dążyć też

---

[9] Tak argumentuje Gutmann w *Democratic Education*.

do drugiego celu, w pełni zgodnego z pierwszym: do formowania obywateli o tożsamości z dywizem, którzy będą bronić tolerancji w różnych wspólnotach, choć zarazem będą nadal cenić i reprodukować (a także analizować i rewidować) różnice.

Nie chciałbym jednak, aby moje słowa zabrzmiały jak proroctwa niepoprawnego optymisty. Zmiany, o których piszę, nie nastąpią w wyniku szczęśliwych zbiegów okoliczności; być może nawet nie nastąpią one w ogóle. Wszystko dzisiaj jest trudniejsze – rodziny, klasy i wspólnoty są mniej spójne niż ongiś; władze i towarzystwa filantropijne dysponują mniejszymi zasobami finansowymi; uliczny świat zbrodni i narkotyków budzi większą grozę, a jednostki wydają się bardziej zagubione. Pojawiła się również innego rodzaju trudność, którą powinniśmy jednak powitać z zadowoleniem. W przeszłości zorganizowane grupy mogły skutecznie włączać się w główny nurt amerykańskiego życia tylko wówczas, gdy pozostawiały za sobą inne grupy (i swoich najsłabszych członków). Ci odtrąceni ludzie godzili się na ogół z losem, a w każdym razie nie starali się hałaśliwie zwrócić na siebie uwagi. Dziś, jak już wskazywałem, poziom rezygnacji jest znacznie niższy i chociaż hałas wynikający z takiego stanu rzeczy jest chaotyczny i daremny, to nie pozwala nam zapomnieć o istnieniu szerszych celów społecznych niż własna pomyślność. Wielokulturowość jako ideologia jest programem walki o więcej społecznej i ekonomicznej równości. Żadne rządy tolerancji nie utrzymają się długo w imigranckim, pluralistycznym, nowoczesnym i ponowoczesnym społeczeństwie bez połączenia w jakiś sposób dwóch rzeczy: obrony różnic grupowych i niwelowania różnic klasowych.

Jeżeli chcemy, aby wzajemne wzmacnianie się wspólnot i jednostek służyło wspólnym interesom, musimy podjąć polityczne działania na rzecz jego skuteczności. Wymaga to pewnego społecznego podłoża czy ramowych regulacji prawnych, które może zapewnić wyłącznie działanie państwa. Życie grupowe nie uchroni jednostek przed izolacją i biernością, jeżeli nie będzie politycznej strategii mobilizacji, organizowania, a w razie konieczności subsydiowania właściwego rodzaju grup. Niezależnie myślące jednostki nie będą angażowały się w różnorodne sfery działalności ani poszerzały swych aspiracji, jeśli w szerszej przestrzeni społecznej nie zostaną im stworzone odpowiednie możliwości – miejsca pracy, stanowiska i obowiązki. Odśrodkowe siły kultury i egoizmu będą się korygowały wzajem tylko wówczas, gdy zaplanuje się korektę. Musimy dążyć do zachowania równowagi między tymi siłami. Oznacza to, że nie możemy być konsekwentnymi obrońcami wielokulturowości ani indywidualizmu, nie możemy być po prostu komunitarianami lub liberałami ani modernistami lub postmodernistami, lecz – dla zachowania tej równowagi –

musimy być raz tym, a raz tym. Wydaje mi się, że najlepszą nazwą dla tak rozumianej równowagi – politycznym kredo, które broni filarów systemu ustrojowego, wspiera niezbędne formy interwencji państwa, a tym samym podtrzymuje nowoczesne rządy tolerancji – jest socjaldemokracja. Jeśli wielokulturowość przysparza nam obecnie więcej zmartwień niż nadziei, to jest tak po części z powodu słabości współczesnej socjaldemokracji (a w naszym kraju lewicowego liberalizmu). Ale to już inna, dłuższa historia.

PODZIĘKOWANIA

Książka ta ma dość skomplikowaną historię. Wzię-
ła początek od pewnego wykładu sfinansowanego
przez Unione Italiana del Lavoro, w którym przedstawiłem w zarysie pięć form „rządów tolerancji".
Wykład wygłosiłem w Palermo, następnie we Flo-
rencji, a potem raz jeszcze na konferencji dotyczącej
problematyki nacjonalizmu, zorganizowanej przez
Roberta McKima i Jeffa McMahana na Uniwersytecie Illinois (tom zawierający teksty wystąpień
uczestników konferencji zostanie opublikowany
przez Oxford University Press[1]). Przez kilka kolejnych miesięcy jeździłem z moim wykładem po
świecie, zbierając cenne wskazówki i spotykając się
kilkakrotnie z surową krytyką ze strony moich przy-
jaciół i kolegów z Włoch, Kanady, Anglii, Niemiec,
Austrii, Holandii i Stanów Zjednoczonych. Chociaż
nie mogę wymienić w tym miejscu licznego grona
osób, które pomogły mi gruntownie przemyśleć

---

[1] [New York 1997].

problematykę tolerancji, pragnę wyrazić wdzięczność im wszystkim. Szczególne podziękowania dla niektórych z nich umieściłem w przypisach.

Starając się uwzględnić ich uwagi, zacząłem rozszerzać pierwotną wersję tego wykładu i przystąpiłem do pisania artykułu poświęconego pokrewnej tematyce, „funkcjonowaniu" tolerancji w Stanach Zjednoczonych, który został opublikowany w piśmie „Dissent" (wiosna 1994) pod tytułem *Multiculturalism and Individualism*. Dyskusje, które prowadziłem z kolegami i gośćmi odwiedzającymi Institute for Advanced Study w Princeton, skłoniły mnie do wprowadzenia pewnych poprawek do wykładu i artykułu. Komitet organizacyjny wykładów Castle'owskich stworzył mi doskonałą okazję do połączenia tych dwóch prac w jedną całość i poddania ich spójności osądowi żywo reagującego i zaangażowanego audytorium w Yale. Ian Shapiro zorganizował mi pobyt w New Haven i przekonał mnie ostatecznie do tego, abym zaczął myśleć o tej książce *jako* o książce. Ostatnią porcję komentarzy i uwag krytycznych otrzymałem od recenzentów Yale University Press; troje z nich, Jane Mansbridge, Susan Okin i Bernard Yack, ujawniło się, dzięki czemu mogę złożyć im w tym miejscu podziękowania. Skorzystałem z wielu ich sugestii. Moja książka byłaby z pewnością lepsza (ale i dłuższa), gdybym zastosował się do nich wszystkich.

Fragmenty tej książki stanowiły wykład z serii Castle Lectures w ramach Yale's Program in Ethics, Politics, and Economics wygłoszony przez Michaela Walzera w 1996 roku na Uniwersytecie Yale.

Castle Lectures finansował pan John K. Castle na cześć swego przodka, czcigodnego Jamesa Pierponta, jednego z założycieli Yale. Castle Lectures, powierzane znanym osobom publicznym, mają promować namysł nad moralnymi podstawami społeczeństwa i rządów, a także pogłębiać rozumienie kwestii etycznych, wobec których stają jednostki w naszym złożonym współczesnym społeczeństwie.